絶叫学級

ウワサ話の黒幕 編

いしかわえみ・原作/絵
はのまきみ・著

集英社みらい文庫

絶叫学級《ぜっきょうがっきゅう》

ウワサ話《ばなし》の黒幕《くろまく》編《へん》

119 時間目《じかんめ》

君《きみ》のヒロイン

プロローグ

みなさん、こんにちは。
絶叫学級《ぜっきょうがっきゅう》へようこそ。
私《わたし》の名前《なまえ》は黄泉《よみ》。
恐怖《きょうふ》の世界《せかい》の案内人《あんないにん》です。
チャームポイントは、
暗闇《くらやみ》で猫《ねこ》のように光《ひか》る金色《きんいろ》の瞳《ひとみ》。
腰《こし》までとどく長《なが》い髪《かみ》も自慢《じまん》です。
下半身《かはんしん》が見《み》えない？　それは気《き》にしないでください。
こうしてちゃんと話《はな》すこともできますので。
それでは、授業《じゅぎょう》をはじめましょう！

今回《こんかい》は、ヒロインのお話《はなし》です。
みなさんの思《おも》うヒロイン像《ぞう》って、どういうものでしょう。
かわいい？　性格《せいかく》がいい？　モテる？　強《つよ》い？　勉強《べんきょう》が得意《とくい》？
みなさんの学校《がっこう》にもいませんか。
誰《だれ》もがあこがれてしまうようなヒロインが………。

朝《あさ》、アラーム音《おん》で目《め》を覚《さ》ました長谷川光希《はせがわみつき》は、壁《かべ》かけ時計《どけい》を見《み》て、ベッドから飛《と》びおきた。

「わっ、寝坊《ねぼう》した！」

バタバタと身支度《みじたく》をし、ダイニングキッチンへ行《い》く。

朝食《ちょうしょく》の用意《ようい》をしていた母親《ははおや》が、あきれ声《ごえ》をだした。

「また夜遅《よるおそ》くまで、お友《とも》だちとラインでもしてたんでしょう」

「そんなことないよ」

「じゃあ、カレシと？」

「ち、ちがうよっ」

顔《かお》を赤《あか》くした光希《みつき》を見《み》て、母親《ははおや》がクスクス笑《わら》う。

光希《みつき》は友《とも》だちが多《おお》い。

正義感《せいぎかん》が強《つよ》く、誰《だれ》にでもやさしいので、クラスでも人気者《にんきもの》だ。

「もう高校《こうこう》一年生《ねんせい》なんだから、しっかりしなさいよ？」

「わかってるって。じゃ、行《い》ってきまーす」

カバンを持《も》ってでかけようとする光希《みつき》を、母親《ははおや》が呼《よ》びとめた。

「ちょっと、光希《みつき》。パンくらい食《た》べていきなさい」

母親《ははおや》が、トーストののった皿《さら》を持《も》って、玄関《げんかん》までやってくる。

「え〜〜〜。遅刻《ちこく》しちゃうよー」

「いいから、はいこれ」

「もー」

母親《ははおや》が差《さ》しだしたトーストをぱくっと口《くち》で受《う》けとり、光希《みつき》は玄関《げんかん》をかけだしていった。

（お母《かあ》さん、おせっかいなんだから………）

少《すこ》し茶色《ちゃいろ》みをおびた、さらさらのロングヘアをなびかせて走《はし》り、いつもの角《かど》をまがる。

すると次《つぎ》の瞬間《しゅんかん》、前《まえ》から やってきた人《ひと》と正面衝突《しょうめんしょうとつ》してしまった。

「わっ！」

「むぐっ！」

くわえていたトーストのせいで、声《こえ》がくぐもる。あわてて顔《かお》をあげた。

（あ………青柳《あおやぎ》くん！）

目《め》の前《まえ》に立《た》っていたのは、光希《みつき》の彼氏《かれし》、青柳慎太《あおやぎしんた》だった。

ふたりはクラスメイト。学校《がっこう》でも評判《ひょうばん》の「お似合《にあ》いカップル」だ。

背《せ》の高《たか》い慎太《しんた》は、光希《みつき》を見《み》おろして、笑《え》みを浮《う》かべる。

「わ、なにそれ。昔《むかし》のマンガみてー」

光希《みつき》の顔《かお》が、みるみる赤《あか》く染《そ》まっていく。

「おちゃめー」

そう言《い》って、慎太《しんた》が楽《たの》しそうに目《め》をほそめる。

光希《みつき》はくわえていたトーストを、あわてて手《て》でとった。

「もー。からかってる？」

「いやいや」

「からかってるくせに」

あははと笑《わら》った慎太《しんた》が、光希《みつき》に手《て》を差《さ》しだす。

「ん」

(えっと、手《て》をつなごうってことだよね)

光希《みつき》の瞳《ひとみ》が、うれしさでうるむ。

(なんか心臓《しんぞう》……………ドキドキする…………)

慎太《しんた》の手《て》のひらにそっと手《て》をおくと、慎太《しんた》は光希《みつき》の手《て》をぎゅっとにぎった。

手《て》をつないだふたりは、少《すこ》し早足《はやあし》で歩《ある》きだす。

光希《みつき》がはずかしくなってうつむくと、慎太《しんた》が言《い》った。

「そんなてれなくても………こっちまでてれるじゃん」

慎太《しんた》の顔《かお》がほんのり赤《あか》くなる。

(青柳《あおやぎ》くんもてれてる。かわいい)

光希《みつき》は慎太《しんた》に微笑《ほほえ》みかけた。

(青柳《あおやぎ》くん。やさしくて純粋《じゅんすい》で、大好《だいす》き)

「早《はや》くトースト食《く》っちゃえよ。遅刻《ちこく》するぞ」

「あっ、そうだった。青柳《あおやぎ》くんも食《た》べる？」

「あーんしてくれんの？」

「えっ!?」

「冗談《じょうだん》だって。ほんと、おまえってからかいがいあるよな」

「もう！」

ふたりは学校《がっこう》へ着《つ》くとつないでいた手《て》をはなし、少《すこ》しはなれて教室《きょうしつ》に入《はい》っていった。

「おはよ」

「おはよー、光希《みつき》」

光希《みつき》と仲《なか》のいいクラスメイトのエリが、席《せき》で手《て》を振《ふ》った。

エリの机《つくえ》のまわりには、仲良《なかよ》しグループの女子《じょし》ふたりも集《あつ》まっている。

「光希《みつき》〜、見《み》たよ〜〜。朝《あさ》からラブラブ♡」

「美男美女《びなんびじょ》は絵《え》になるね〜〜〜」

「いいなー。私《わたし》も早《はや》くカレシほしいー」

三人《にん》にはやしたてられ、光希《みつき》はまた顔《かお》を真《ま》っ赤《か》にした。

「う…………」

「赤《あか》くなっちゃって、かーわいい」

エリがニヤニヤと笑《わら》う。

エリと光希《みつき》は、入学《にゅうがく》してすぐに意気投合《いきとうごう》した。いまでは一番《いちばん》の友《とも》だち、親友《しんゆう》だ。

「そういえば明日《あした》、光希《みつき》と青柳《あおやぎ》の二か月記念日《げっきねんび》じゃん。なにかすんの？」

「そうそれ！　相談《そうだん》しようと思《おも》ってたんだ！」

うれしさと、てれくささで、光希《みつき》の声《こえ》がうわずる。

明日《あした》は、光希《みつき》と慎太《しんた》がつきあいはじめて二か月記念日《げっきねんび》。なにかお祝《いわ》いをしようと考《かんが》えていたところだった。

(さすが親友《しんゆう》。エリは私《わたし》たちのこと、ちゃんと覚《おぼ》えてたんだ)

「お財布《さいふ》をプレゼントするつもりだけど、どうかな」

「いいじゃん」

「画像《がぞう》、保存《ほぞん》しておいたんだ。エリたちも見《み》てみて」

画像《がぞう》を見《み》せようと、ポケットからスマートフォンをとりだす。

ところが、少《すこ》しスクロールさせたところで、光希《みつき》の指《ゆび》がとまった。

「……なにこの写真《しゃしん》？」

フォトアルバムのなかに、見覚《みおぼ》えのない画像《がぞう》が入《はい》っていた。

長《なが》い黒髪《くろかみ》の女《おんな》のうしろ姿《すがた》が写《うつ》っている。

背景《はいけい》はなにもない。

まるでうしろむきに立《た》って撮《と》った、証明写真《しょうめいしゃしん》のようだった。

（こんな写真《しゃしん》、撮《と》ったっけ？）

光希《みつき》が首《くび》をひねると、エリがスマートフォンに視線《しせん》を落《お》とした。

「どした？」

他《ほか》の女子《じょし》たちもスマートフォンをのぞきこんでくる。

「なにそれ」

「誰《だれ》の写真《しゃしん》？」

「わかんない。まちがえて撮《と》ったのかな」

「あるあるだねーっ」

「うっかりボタンさわっちゃうこと、あるよね」

そのとき、背後《はいご》から誰《だれ》かの声《こえ》がした。

「お」

四人《にん》がいっせいに振《ふ》りかえる。

そこには、眼鏡《めがね》をかけて髪《かみ》をふたつに結《むす》んだ岩田典美《いわたのりみ》が立《た》っていた。典美《のりみ》はカバンを胸《むね》に抱《だ》き、おどおどと四人《にん》をみつめている。

「お、おはよっ……………」

典美《のりみ》が小《ちい》さな声《こえ》であいさつすると、エリたちがそっけなく「おはよ」と返《かえ》した。

光希《みつき》だけは笑顔《えがお》だ。

「岩田《いわた》さん、おはよう」

すると典美《のりみ》は、かたい表情《ひょうじょう》のままその場《ば》をはなれ、自分《じぶん》の席《せき》についた。

エリたちがひそひそと話《はな》しだす。

「岩田《いわた》って、いつも表情変《ひょうじょうか》わらなくない？」

「たしかに。笑《わら》ってるのも怒《おこ》ってるのも、泣《な》いてるのも見《み》たことない」

「なんで岩田《いわた》って、いつも話《はな》しかけてくるんだろーね」

「前《まえ》にラインのID《アイディー》聞《き》かれたよ」

「そもそも岩田《いわた》とうちら、グループちがうでしょ」

「もしかして、うちらのグループに入《はい》りたいとか？」

「ぷっ」

エリがふきだした。

「ムリムリ。レベル考《かんが》えようよ〜。あははは」

それを聞《き》いて、光希《みつき》が表情《ひょうじょう》をくもらせる。

「エリ、言《い》いすぎじゃない？」

「えっ？」

三人《にん》が気《き》まずそうに視線《しせん》を合《あ》わせると、光希《みつき》は真剣《しんけん》な表情《ひょうじょう》で言《い》った。

「入《はい》りたいなら、入《い》れてあげてもいいと思《おも》う」

やれやれとエリが苦笑《にがわら》いをする。

「……光希《みつき》って、マジでいい子《こ》。かなわないな」

他《ほか》のふたりも口々《くちぐち》に言《い》った。

「だよね。心《こころ》が広《ひろ》いっていうか」

「天使《てんし》～」

「そ、そんなことないよ……だって」

(だって、かわいそうじゃん。岩田《いわた》さんだって生《い》きてるのに)

そのとき、始業《しぎょう》のチャイムが鳴《な》った。

「じゃあ光希《みつき》、プレゼントのことはあとでね！」

「うん、ありがと！」

みんなはばたばたと席《せき》につき、一時間目《じかんめ》の授業《じゅぎょう》がはじまった。

光希《みつき》と典美《のりみ》の席《せき》はとなり同士《どうし》だ。

先生《せんせい》が教室《きょうしつ》に入《はい》ってくると、典美《のりみ》はあわてたのか、机《つくえ》から教科書《きょうかしょ》とノートを落《お》としてしまい、光希《みつき》がそれをひろう。

「大丈夫《だいじょうぶ》？」

「あ、ありがとう」

しばらくすると、典美《のりみ》は教科書《きょうかしょ》の音読《おんどく》にあてられた。

「次《つぎ》のページから岩田《いわた》、読《よ》んで」

「は、はい……」

典美《のりみ》は教科書《きょうかしょ》を持《も》って立《た》ちあがったが、どのページから読《よ》むのかわからなくなったらしく、まごついている。

光希《みつき》は小声《こごえ》で教《おし》えた。

「五十五《ごじゅうご》ページだよ」

「あ……うん……」

典美《のりみ》が音読《おんどく》をはじめた。しかし、声《こえ》が小《ちい》さすぎてほとんど聞《き》きとれない。

生徒《せいと》たちがクスクス笑《わら》いだした。

「ぜんぜん聞《き》こえねー」

「これじゃ読《よ》めてるのかどうか、わかんないよね」

「キンチョーしぃなんだって」

先生《せんせい》までもが、ため息《いき》をつく。

「岩田《いわた》ー。もっと大《おお》きい声《こえ》で読《よ》めー」

典美《のりみ》の様子《ようす》をずっと心配《しんぱい》そうに見守《みまも》っていた光希《みつき》は、とうとう手《て》をあげた。

「先生《せんせい》っ」

「どうした、長谷川《はせがわ》」

「岩田《いわた》さん、具合悪《ぐあいわる》そうなんで、かわりに私《わたし》が読《よ》みます」

「そうか。じゃあ、長谷川《はせがわ》がつづきを読《よ》んでくれ」

すっくと立《た》ちあがった光希《みつき》が音読《おんどく》をはじめると、教室《きょうしつ》がわずかにどよめいた。あちこちから話《はな》し声《ごえ》が聞《き》こえてくる。

「また長谷川《はせがわ》に助《たす》けてもらってんのか～」

「岩田《いわた》の存在《そんざい》って………」

「いや、岩田《いわた》には誰《だれ》もなにも求《もと》めてねーだろ」

典美《のりみ》は静《しず》かに椅子《いす》に座《すわ》り、うつむいた。はずかしさのせいか、首《くび》もとに汗《あせ》を浮《う》かべていた。

昼休《ひるやす》みになると、光希《みつき》や慎太《しんた》、エリたちはいつも学食《がくしょく》に集《あつ》まる。

仲良《なかよ》しグループは男子《だんし》三人《にん》、女子《じょし》四人《にん》。学年《がくねん》でも目立《めだ》つグループだ。

男子《だんし》たちが、一時間目《じかんめ》の出来事《できごと》について話《はな》す。

「光希《みつき》ってさ、あんなに岩田《いわた》のこと世話焼《せわや》いて、えらくね？」

「そ、そんなことないから」

慎太《しんた》のとなりに座《すわ》っていた光希《みつき》は、首《くび》を横《よこ》に振《ふ》り、紙《かみ》パックのジュースにストローをさす。

（だって、かわいそうだし…………）

「そんなことあるよ。性格《せいかく》よし、外見《がいけん》よし」

「マジでリアルヒロインだなーっ」

「青柳《あおやぎ》ー、おまえばっかりずるいよなー」

「ほんと、青柳《あおやぎ》がうらやましいよ」

慎太《しんた》が幸《しあわ》せそうに笑《わら》った。

「へへっ。だろー？」

光希《みつき》は耳《みみ》まで真《ま》っ赤《か》になり、あわててジュースのストローに口《くち》をつけた。

(青柳《あおやぎ》くん………。はずかしいけど、でもうれしい)

みんなが「わ、ムカツク!」「このー、幸《しあわ》せ者《もの》め!」と冷《ひ》やかしていると、エリがなにかを思《おも》いだしたらしく、はっと顔《かお》をあげる。

「そうだ。ねえ、光希《みつき》」

「ん?」

「朝《あさ》の写真《しゃしん》、青柳《あおやぎ》に見《み》てもらえば?　なにか知《し》ってるかもよ」

「写真《しゃしん》ってなに?」

慎太《しんた》が無邪気《むじゃき》に聞《き》く。

「あ、うん。変《へん》な写真《しゃしん》が勝手《かって》に撮《と》れちゃってて……」

光希《みつき》は、女《おんな》が写《うつ》っている写真《しゃしん》をスマートフォンに表示《ひょうじ》させ、みんなに見《み》せた。

「これなんだけど」

みんなはテーブルにのりだすようにして、写真《しゃしん》をのぞきこんだ。

「誰《だれ》?」

「うちの学校《がっこう》の人《ひと》？」

「いや、ちがうだろ。大人《おとな》みたいだし」

「誰《だれ》だ？　わかんね〜」

「この写真《しゃしん》、場所《ばしょ》どこ？　風景《ふうけい》ぜんぜん写《うつ》ってなくない？」

「ほんとだ」

そこでふと、光希《みつき》は気《き》づいた。

（……あれ？　気《き》のせい？）

今朝《けさ》、この写真《しゃしん》をみつけたときは、女《おんな》の姿《すがた》は証明写真《しょうめいしゃしん》のようにまっすぐにうしろをむいていた。

けれどいまは、黒髪《くろかみ》の間《あいだ》から少《すこ》しだけ頬《ほお》のあたりが見《み》えている。

角度《かくど》が変《か》わっているのだ。

（女《おんな》の人《ひと》、こんなにこっち、むいてたっけ？）

すると、女子《じょし》のうちのひとりが言《い》った。

「ね、ねぇ……これもしかしたら、ウワサで聞《き》いた写真《しゃしん》かも……」

「ウワサ？」

「えー、どんな？」

エリが聞《き》くと、友《とも》だちはごくりとつばをのみこんだ。

「………あのね、ひとりの男性《だんせい》が、恋人《こいびと》の写真《しゃしん》をなにげなく撮《と》ったんだって。ふたりは仲《なか》がよかったんだけど………しばらくして、男性《だんせい》に他《ほか》に好《す》きな人《ひと》ができたの」

（それって、浮気《うわき》したってことだよね）

光希《みつき》は眉間《みけん》にしわを寄《よ》せた。

「でね、男性《だんせい》とその女《おんな》の人《ひと》が結《むす》ばれたことを聞《き》いて、恋人《こいびと》は怒《いか》り悲《かな》しみ、自殺《じさつ》しちゃったんだって」

友《とも》だちはそう話《はな》しながら、包丁《ほうちょう》で自分《じぶん》ののどを切《き》るような身振《みぶ》りをした。

「やばいのはそのあとなんだ。男性《だんせい》が撮《と》った恋人《こいびと》の写真《しゃしん》、知《し》らないうちに誰《だれ》かのスマホに入《はい》ってることがあるらしいの。うしろむきの女《おんな》の人《ひと》が写《うつ》ってて、こっちを振《ふ》りむいたら殺《ころ》されるって………」

（待《ま》って）

知《し》らないうちにスマートフォンに入《はい》っているなんて、まさに光希《みつき》が持《も》っている写真《しゃしん》と同《おな》じだ。

しかもこの写真《しゃしん》は、朝《あさ》に見《み》たときといまでは、少《すこ》し体《からだ》の角度《かくど》が変《か》わっている。ということは、もしこの女《おんな》がこちらをむいたとしたら——。

「待《ま》ってよっ！」

光希《みつき》は大声《おおごえ》をあげて立《た》ちあがった。

みんながびくっと身《み》をすくめる。

「……ご、ごめん、大《おお》きな声《こえ》だして。でも、からかうの、やめてよ」

写真《しゃしん》のことを教《おし》えた女子《じょし》が、あわててとりつくろった。

「そんなにこわがらなくても、大丈夫《だいじょうぶ》だよ！　写真《しゃしん》を他人《たにん》に転送《てんそう》しちゃえばいいんだって」

「転送《てんそう》？」

「そう。人《ひと》に送《おく》ればなにも起《お》きずにすむらしいの」

みんなの緊張《きんちょう》が一気《いっき》にとけた。

「ええ〜。そんなんで助《たす》かるの〜？」

エリがほっとしたように言《い》うと、みんなは笑《わら》いだした。

「お祓《はら》いとかしなくちゃいけないのかと思《おも》ったよ〜」

「転送《てんそう》だけでいいなら、こわくないじゃん」

光希《みつき》も、ほっとして大《おお》きく息《いき》をはいた。

（そっか、よかった………）

昼休《ひるやす》みが終《お》わり、みんなが教室《きょうしつ》へ戻《もど》るなか、光希《みつき》はふいに立《た》ちどまった。

（もしかしたら、画像《がぞう》を消去《しょうきょ》しちゃえばいいんじゃない？）

ろうかのすみに行《い》き、スマートフォンを手《て》にとる。そして、あの画像《がぞう》を選《えら》んで、ゴミ箱《ばこ》マークをタップする。

しかし、画像《がぞう》が消《き》えない。もとのまま表示《ひょうじ》されている。

「………なんで？」

光希《みつき》は思《おも》わず声《こえ》をあげた。

（なんで消《け》せないの!?）

何度《なんど》も何度《なんど》もタップするが、画像《がぞう》はいっこうに消去《しょうきょ》できなかった。

「光希《みつき》」

突然《とつぜん》名前《なまえ》を呼《よ》ばれて、光希《みつき》はびくりと体《からだ》を震《ふる》わせた。

「あ………青柳《あおやぎ》くん」

慎太《しんた》が心配《しんぱい》そうに立《た》っている。

「じ、授業《じゅぎょう》はじまっちゃうよね。教室《きょうしつ》、戻《もど》ろっか」

光希《みつき》は強《つよ》がって微笑《ほほえ》んだが、慎太《しんた》の表情《ひょうじょう》は真剣《しんけん》だった。

「それ、俺《おれ》に送《おく》れよ」

「え………」

「写真《しゃしん》の女《おんな》、動《うご》いてるんだろ？　さっき、光希《みつき》の様子《ようす》が変《へん》だった」

慎太《しんた》の声《こえ》を聞《き》いたとたん、体《からだ》の力《ちから》が抜《ぬ》けてしまったのか、光希《みつき》のスマートフォンを持《も》つ手《て》がぶるぶると震《ふる》えだす。

「うん………どうしよう………これ、本物《ほんもの》かも………」

（なんで私《わたし》のところに………）

おそろしくて、立《た》っているのがやっとだ。

慎太《しんた》は光希《みつき》の両肩《りょうかた》をつかみ、光希《みつき》の目《め》をじっとみつめる。

「俺《おれ》がなんとかする。だから送《おく》って」

慎太《しんた》に転送《てんそう》すれば光希《みつき》は助《たす》かる。けれど、かわりに慎太《しんた》が殺《ころ》されてしまう。

(そんなこと、できない)

泣《な》きだしそうになるのをこらえ、光希《みつき》は小《ちい》さな声《こえ》で言《い》った。

「…………大丈夫《だいじょうぶ》。自分《じぶん》でどうにかしてみる」

そして、足早《あしばや》にその場《ば》から立《た》ち去《さ》った。

(青柳《あおやぎ》くん。ほんの少《すこ》し声《こえ》がうわずってた)

慎太《しんた》だっておそろしいだろうに、光希《みつき》のために犠牲《ぎせい》になろうとしてくれたのだ。

光希《みつき》は教室《きょうしつ》の前《まえ》で足《あし》をとめ、途方《とほう》にくれてうつむいた。

(私《わたし》だって、好《す》きな人《ひと》にこわい思《おも》いなんて、させられないよ)

すると、教室《きょうしつ》からでてきたエリたちが、光希《みつき》をみつけてかけ寄《よ》ってきた。

「光希《みつき》！　遅《おそ》いから心配《しんぱい》したよ。さっきの話《はなし》なんて忘《わす》れて」

「そうだよ、元気《げんき》だせ」

「こわいんだったら、うちらに送《おく》っていいから！」

「ねっ？」

「うん……みんな、ありがと」

弱々《よわよわ》しくうなずく光希《みつき》に、エリがやさしく声《こえ》をかける。

「そろそろ先生《せんせい》来《き》ちゃうから、席《せき》につこ？」

「……うん」

午後《ごご》の授業《じゅぎょう》がはじまっても、光希《みつき》の心《こころ》はしずんだままだった。

(青柳《あおやぎ》くんには、自分《じぶん》でどうにかするって言《い》っちゃったけど……でも、どうにかって、どうすればいいの？)

スマートフォンは机《つくえ》のなかに入《い》れてあった。

そのスマートフォンのなかで、写真《しゃしん》の女《おんな》が動《うご》いているかと思《おも》うと、背筋《せすじ》がぞっとした。

(誰《だれ》かにあの写真《しゃしん》を送《おく》らなきゃ助《たす》からない……でも、誰《だれ》に送《おく》るの？　あまり仲良《なかよ》くない友《とも》だちとか？　でもそんなの……)

光希《みつき》は教室《きょうしつ》じゅうを見《み》まわした。

クラスのみんなは、静《しず》かに座《すわ》って授業《じゅぎょう》に集中《しゅうちゅう》している。

このなかの誰《だれ》かに呪《のろ》いを肩《かた》がわりさせるなんて、光希《みつき》にはできなかった。

スマートフォンをおそるおそる机《つくえ》からだしてひざの上《うえ》におき、フォトアルバムのアイコンをタップする。

あの写真《しゃしん》を表示《ひょうじ》させた瞬間《しゅんかん》、光希《みつき》の心臓《しんぞう》がどくんと脈《みゃく》打《う》った。

(うそでしょ!?)

女《おんな》の姿《すがた》はさらに角度《かくど》が変《か》わっていて、もう鼻先《はなさき》まで見《み》えている。

(もう少《すこ》しで、こっちに顔《かお》が……………)

そのときだった。

「岩田《いわた》ー。こんな問題《もんだい》もわかんないのか」

先生《せんせい》の声《こえ》が耳《みみ》に飛《と》びこんできて、光希《みつき》ははっと我《われ》に返《かえ》った。

横《よこ》をむくと、典美《のりみ》が教科書《きょうかしょ》をひろげて持《も》ち、答《こた》えがわからずに言葉《ことば》をつまらせている。

クラスのみんなが小声《こごえ》で笑《わら》いだした。

（そういえば、一時間目《じかんめ》の授業《じゅぎょう》のときも、みんな笑《わら》ってた）

――岩田《いわた》の存在《そんざい》って……。

――いや、岩田《いわた》には誰《だれ》もなにも求《もと》めてねーだろ。

みんな、口々《くちぐち》に言《い》っていた。

その声《こえ》を思《おも》いだし、光希《みつき》の手《て》のひらがじっとりと汗《あせ》でぬれた。

放課後《ほうかご》になると、部活《ぶかつ》に入《はい》っていない典美《のりみ》はあっという間《ま》に教室《きょうしつ》をでていってしまった。

光希《みつき》は典美《のりみ》をさがし、昇降口《しょうこうぐち》の近《ちか》くでやっとみつけることができた。

「い、岩田《いわた》さん」

典美《のりみ》がゆっくりと振《ふ》りかえり、光希《みつき》を無言《むごん》でみつめる。

「あ……あの……さ」

緊張《きんちょう》をかくすために、光希《みつき》は笑顔《えがお》をつくる。

「岩田《いわた》さんって、ラインやってる？　私《わたし》、クラスで交換《こうかん》してないの、岩田《いわた》さんだけなんだよね」

「………したよ？　四月《がつ》に」

典美《のりみ》がぽつりと返《かえ》した。

「えっ、うそ、そうだっけ………」

（まずい。ぜんぜん覚《おぼ》えてない）

いままで典美《のりみ》に連絡《れんらく》したことがなかったし、しようと思《おも》ったこともなかったせいで、光《みつ》希《き》はすっかり忘《わす》れていた。

でも、ここまで来《き》たら、ＩＤ《アイディー》をさがすより聞《き》いてしまったほうが早《はや》い。

「念《ねん》のため、もう一度《いちど》教《おし》えてっ」

典美《のりみ》はだまってうなずくと、肩《かた》にかけていたカバンのなかからメモ帳《ちょう》をとりだした。

そこにシャープペンシルでＩＤ《アイディー》を書《か》いていく。

「はい、これ」

手渡《てわた》されたメモ紙《がみ》を、光希《みつき》は目《め》を輝《かがや》かせながら受《う》けとった。

「ありがとう！」

「うん」

典美《のりみ》はさびしそうな表情《ひょうじょう》を浮《う》かべ、帰《かえ》っていった。

光希《みつき》は拝《おが》むような気持《きも》ちで、典美《のりみ》のうしろ姿《すがた》を見送《みおく》り、メモ紙《がみ》に目《め》を落《お》とした。

（救世主《きゅうせいしゅ》!!）

そこに書《か》いてあるアルファベットを、スマートフォンに打《う》ちこんでいく。

「G《ジー》………O《オー》、G《ジー》、O《オー》、G《ガ》I《ー》R《ル》L………ん？」

典美《のりみ》の字《じ》は、うすいし、くねくねとゆがんでいて、なんと書《か》いてあるのかさっぱりわからない。

「待《ま》って。ぜんぜん読《よ》めないんだけど」

やっと読《よ》みとれた文字《もじ》を何度《なんど》か入力《にゅうりょく》してみたが、ID《アイディー》は検索《けんさく》できなかった。

「なんで検索《けんさく》できないの？　字《じ》、汚《きたな》すぎるよ！」

光希《みつき》は目《め》をつりあげて怒《おこ》った。

（どんだけ使《つか》えないんだよ、岩田《いわた》っ！　岩田《いわた》に写真《しゃしん》を送《おく》れば、全部終《ぜんぶお》わるはずなのに！）

いまから校舎《こうしゃ》をでて典美《のりみ》をさがしても、もうみつけられないだろう。

光希《みつき》は腹《はら》が立《た》ち、メモ紙《がみ》をひきちぎりそうになった。

(写真《しゃしん》の女《おんな》がこっちをむく前《まえ》に、なんとかしなくちゃいけないのに……………)

イライラと爪《つめ》をかみながら、階段《かいだん》をあがっていく。

誰《だれ》もいない教室《きょうしつ》に戻《もど》ると、ベランダのほうからエリの声《こえ》が聞《き》こえてきた。

「見《み》た？　光希《みつき》の顔《かお》」

「見《み》たよ」

いまのは慎太《しんた》の声《こえ》だ。

光希《みつき》は足《あし》をとめた。

(青柳《あおやぎ》くんとエリ、まだ帰《かえ》ってなかったんだ)

光希《みつき》はカーテンのすきまから、ベランダをのぞいた。エリと慎太《しんた》がとなりあって立《た》っている。ふたりは校庭《こうてい》のほうをむいているので、光希《みつき》からは背中《せなか》しか見《み》えなかった。

「光希《みつき》、苦《くる》しそうだったね」

「ああ。自分《じぶん》の彼女《かのじょ》が苦《くる》しそうなのって、つらいよな」

「なのに、友《とも》だちと浮気《うわき》してるんだ」

光希《みつき》は息《いき》をのんだ。

（友《とも》だちと浮気《うわき》って………どういうこと？）

「はは。まぁ」

慎太《しんた》のだらしない笑《わら》い声《ごえ》が聞《き》こえる。

（どういうことなの？）

光希《みつき》は戸惑《とまど》った。カーテンのむこうでは、エリと慎太《しんた》がみつめあっている。

やがてふたりは顔《かお》を寄《よ》せると、長《なが》いキスをした。

（………なんで？）

唇《くちびる》をはなしたふたりが、うっとりと微笑《ほほえ》む。

「光希《みつき》、キスもさせてくれなかったって本当《ほんとう》？」

「本当《ほんとう》。ヒロインは純情《じゅんじょう》だから、しかたないよ」

「ヒロインねえ」

「あとは光希《みつき》が消《き》えれば、完全犯罪成立《かんぜんはんざいせいりつ》だな」

「犯罪《はんざい》じゃないから！　写真送《しゃしんおく》っただけでしょ〜？」

エリと慎太《しんた》は、勝《か》ちほこったように笑《わら》いあっている。

光希《みつき》はぼうぜんとした。ショックのあまり、涙《なみだ》すら流《なが》れなかった。

(青柳《あおやぎ》くんが写真《しゃしん》を……エリが青柳《あおやぎ》くんと……)

しばらく放心《ほうしん》していた光希《みつき》は、手《て》に持《も》っていたスマートフォンを強《つよ》くにぎりなおした。

それから、エリのカバンに視線《しせん》を落《お》とす。

五分《ふん》ほどたったころ、エリと慎太《しんた》は、ベランダから教室《きょうしつ》に戻《もど》ってきた。そのころにはもう、教室《きょうしつ》に光希《みつき》の姿《すがた》はなかった。

「もう帰《かえ》ろっか」

「そうだな」

「こんな現場《げんば》、光希《みつき》に見《み》られたら大変《たいへん》だよー?」

「問題《もんだい》ないっしょ。あいつ、俺《おれ》たちのこと疑《うたが》ったりしなそうだし」

エリは、机《つくえ》の上《うえ》においておいたカバンを持《も》ちあげた。

その拍子《ひょうし》に、スマートフォンが転《ころ》がりでる。

「あ、通知《つうち》が来《き》てる」

画面《がめん》をタップしてラインを開《ひら》いてみると、画像《がぞう》が現《あらわ》れた。

髪《かみ》の長《なが》い女《おんな》が、うしろをむいている写真《しゃしん》だ。

「な、なにこれ!?」

「はは。大丈夫《だいじょうぶ》かよ。誰《だれ》かに早《はや》く転送《てんそう》しとけよ」

「ちょ………誰《だれ》がやったのよ。マジむかつくっ!」

エリはぷりぷりと怒《おこ》って、ラインの友《とも》だちリストやメールの連絡帳《れんらくちょう》を開《ひら》いた。

「なんで? 青柳《あおやぎ》のアドレスしか入《はい》ってない!」

「はぁ!?」

「誰《だれ》かが私《わたし》のスマホのリストと連絡帳《れんらくちょう》、全部消《ぜんぶけ》したんだ」

慎太《しんた》の顔《かお》が、さっと青《あお》ざめた。

「お………送《おく》るなよ、おまえ………ぜってー送《おく》るなっ!」

「でも送《おく》れる人《ひと》、青柳《あおやぎ》しかいない! 青柳《あおやぎ》に送《おく》るからね!」

「やめろっ!」

慎太《しんた》がスマートフォンをとりあげようとし、エリがそれに抵抗《ていこう》する。

ふたりは教室《きょうしつ》の机《つくえ》と椅子《いす》をなぎたおしながら、とっくみあいをはじめた。

ろうかにいた光希《みつき》は、その様子《ようす》を窓《まど》から盗《ぬす》み見《み》ていた。

そして悪魔《あくま》のような顔《かお》をし、ぽつりとつぶやいた。

「死《し》ね。バカども」


光希《みつき》は静《しず》かなろうかを歩《ある》きながら、自分《じぶん》のスマートフォンをたしかめた。いくら消去《しょうきょ》しようとしても消《き》えなかった写真《しゃしん》が、エリに転送《てんそう》したことで消《き》えていた。

「写真《しゃしん》がなくなってる。よかった……」

ふと制服《せいふく》のポケットに手《て》を入《い》れると、くしゃくしゃにまるめた紙《かみ》が入《はい》っている。

「ん？　なんだろ？」

典美《のりみ》がＩＤ《アイディー》を書《か》いたメモ紙《がみ》だった。

（そういえば、岩田《いわた》さんのＩＤ《アイディー》って、なんだったんだろう）

ラインのトークリストをスクロールさせると、ずっと下《した》のほうに眼鏡《めがね》のアイコンと「岩《いわ》田典美《たのりみ》」という名前《なまえ》があった。

「あれ。岩田《いわた》さんからラインたくさん来《き》てたんだ。気《き》づかなかったな」

典美《のりみ》のメッセージは、四月《がつ》からずっととどいていた。光希《みつき》が一度《いちど》も見《み》ていなかっただけで、典美《のりみ》は何度《なんど》も送《おく》っていたのだった。

『岩田典美《いわたのりみ》です　よろしくね』
『長谷川《はせがわ》さんてどこで遊《あそ》ぶの？　オススメ教《おし》えて』
『私《わたし》、友《とも》だちいなくて　グループに入《い》れてほしい』
『お願《ねが》い』

メッセージの様子《ようす》が、だんだんとおかしくなっていく。

『どうして入《い》れてくれないの？』
『入《い》れてよ入《い》れてよ無視《むし》するな』
『入《い》れろ入《い》れろ入《い》れろ入《い》れろ』

最後《さいご》のメッセージは、ちょうど一《いっ》か月前《げつまえ》にとどいていた。

『死《し》ね　バカ』


メッセージといっしょに送《おく》られてきていたのは、一枚《まい》の写真《しゃしん》。

一《いっ》か月前《げつまえ》はきっと、髪《かみ》の長《なが》い女《おんな》はうしろをむいていたのだろう。

しかしいまは、完全《かんぜん》に前《まえ》をむいている。

「……………やだ…………どうして…………岩田《いわた》っ、なんで私《わたし》に送《おく》ったのっ!?」

写真《しゃしん》のなかから、まぶたのないトカゲのような目《め》をした女《おんな》が、光希《みつき》をみつめていた。

耳《みみ》まで裂《さ》けた口《くち》に、不気味《ぶきみ》な笑《え》みを浮《う》かべて。

女《おんな》は手《て》に、血《ち》まみれの包丁《ほうちょう》を持《も》っている。

「やめてやめて！　私《わたし》まだ死《し》にたくないっ!!」

光希《みつき》の叫《さけ》び声《ごえ》が、静《しず》かなろうかにひびいた。

そしてすぐに、ろうかはまた静《しず》かになった。

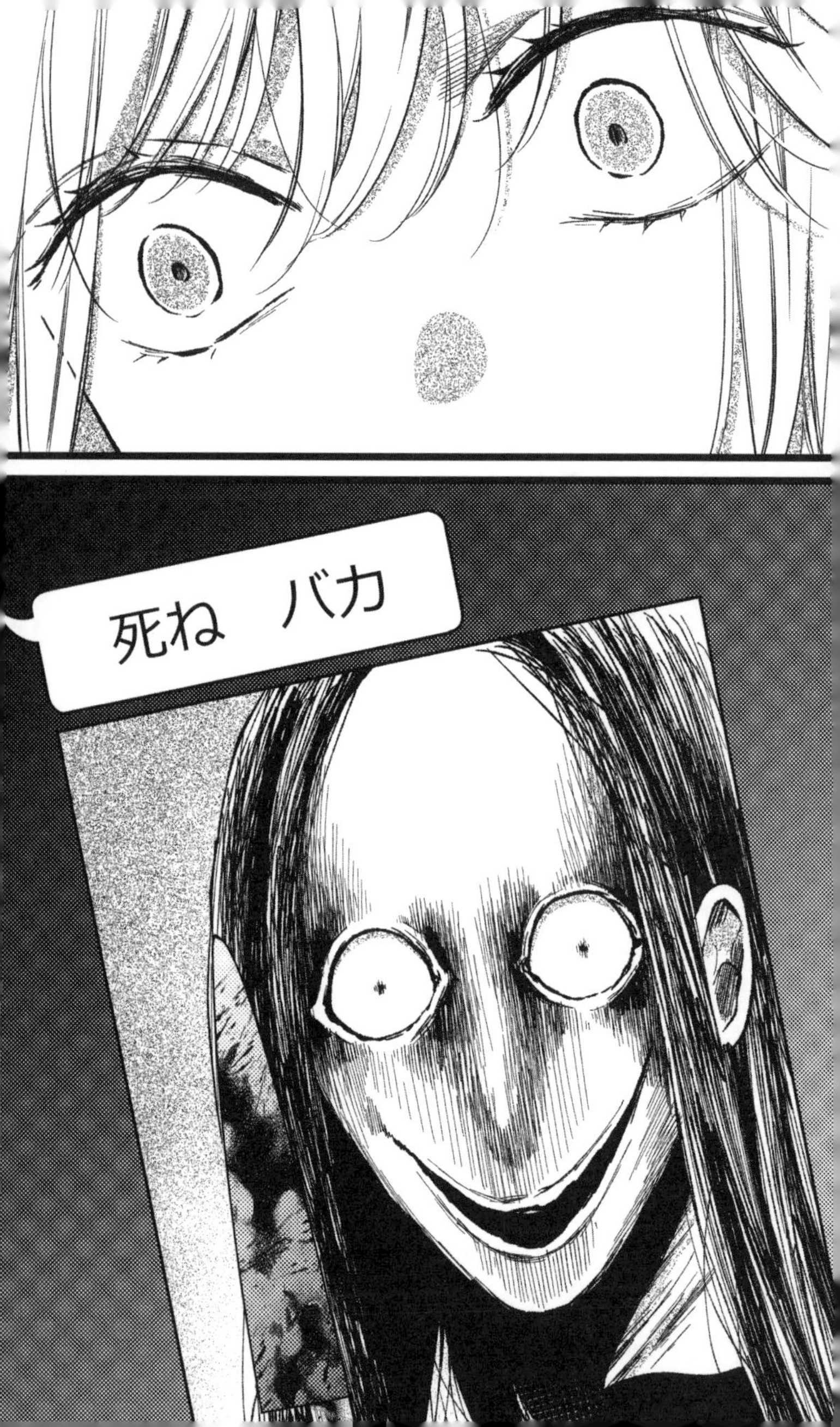
死ね　バカ

エピローグ

百十九時間目《ひゃくじゅうくじかんめ》の授業《じゅぎょう》は、いかがでしたか？

みんなのヒロインだった少女《しょうじょ》。

彼女《かのじょ》はあの日《ひ》を最後《さいご》に、姿《すがた》を消《け》してしまったそうです。

知《し》らないうちに、誰《だれ》かの恨《うら》みを買《か》っていることがありますが、それはヒロインでさえも、例外《れいがい》ではないのかもしれません。

ちなみに「誰《だれ》かから送《おく》られてくる、うしろ姿《すがた》の女《おんな》の写真《しゃしん》」のウワサは、いまでもでまわっているようです。

そして最近《さいきん》は、女《おんな》の姿《すがた》がふたりになっているんですって。

ひとりは黒髪《くろかみ》の女《おんな》。

もうひとりは、少《すこ》し茶色《ちゃいろ》みをおびた、さらさらのロングヘアの女《おんな》。

えっ？　今回《こんかい》の主人公《しゅじんこう》に似《に》ているですって？

ふふっ。そうかもしれませんね。

みなさんも、スマートフォンに撮《と》った覚《おぼ》えのない写真《しゃしん》が入《はい》っていたら、あわてずに対処《たいしょ》してくださいね。

もしかしたらそれが、「ウワサの写真《しゃしん》」かもしれませんから。

120時《じ》間《かん》目《め》

オカルティック
ラジオ・ナイト

プロローグ

こんにちは。

居眠《いねむ》りしている人《ひと》はいませんか。

さあ、百二十時間目《ひゃくにじゅうじかんめ》の授業《じゅぎょう》をはじめましょう。

みなさんは最近《さいきん》、ラジオを聞《き》きましたか？

動画《どうが》サイトやテレビは見《み》るけれど、ラジオはあまり聞《き》かない、という人《ひと》も多《おお》いかもしれませんね。

いまや少《すこ》し時代遅《じだいおく》れな感《かん》じもするラジオですが、スマートフォンのアプリで気軽《きがる》に聞《き》くことができます。

パーソナリティのおしゃべりと、リスナーからの投稿《とうこう》、それから楽《たの》しい音楽《おんがく》。
たまに聞《き》いてみると、なかなかおもしろいですよ。
今回《こんかい》のお話《はなし》の主人公《しゅじんこう》は、あるラジオ番組《ばんぐみ》にはまっています。
どうやら、こわ〜い番組《ばんぐみ》のようです。
その名《な》もオカルティックラジオ。
どんな内容《ないよう》なのか、いっしょに聞《き》いてみましょう。

火曜日《かようび》の夜十時《よるじゅうじ》。

部屋着姿《へやぎすがた》でベッドに正座《せいざ》した岡本百加《おかもともか》が、手《て》に持《も》ったスマートフォンの画面《がめん》をじっとみつめている。

耳《みみ》にはイヤホン。緊張《きんちょう》で胸《むね》がドキドキしていた。

『さあ、今日《きょう》もはじまりました。オカルティックラジオ』

『略《りゃく》してオカラジ〜』

『では早速《さっそく》リスナーさんからの投稿《とうこう》を読《よ》んでいきましょうか。ラジオネーム――――』

百加《ももか》は、自分《じぶん》のラジオネームが読《よ》みあげられるのを待《ま》っていた。

『――――〈yo《ヨ》mi《ミ》yo《ヨ》mi《ミ》〉さん』

がっくり。

百加《もも か》のラジオネームは「モモンガ」だ。

「あーあ。また読《よ》まれなかった。けっこう送《おく》ってんのになぁ〜」

くやしくてしょぼんと肩《かた》を落《お》とし、イヤホンから流《なが》れてくるパーソナリティの声《こえ》を聞《き》く。

百加《もも か》が、週《しゅう》に一度《いち ど》のこのラジオ番組《ばん ぐみ》「オカルティックラジオ」にはまったのは、ちょうど半年《はん とし》ほど前《まえ》だった。

まだあまり売《う》れていないお笑《わら》いトリオが、パーソナリティをしている。

（三人《にん》のかけあいもおもしろいし、なによりこわい話《はなし》がワクワクして最高《さい こう》なんだよね）

この番組《ばん ぐみ》をすっかり気《き》に入《い》ってしまった百加《もも か》は、「小六《しょう》の子《こ》どもはもう寝《ね》なさい」と親《おや》に叱《しか》られるのも無視《む し》して、毎週楽《まい しゅう たの》しみに聞《き》いているのだった。

『いやー。〈ｙｏｍｉｙｏｍｉ《ヨ ミ ヨ ミ》〉さんのお話《はなし》、こわいスね』

『そうだね。特《とく》にあそこの、不気味《ぶ き み》な声《こえ》が聞《き》こえてくるところなんて』

『うわー。思《おも》いだしただけでトリハダ立《た》った！』

『うわー。俺《おれ》も！』

『思《おも》いだしこわい、ってやつね、キミらのそれ』

「いいなぁ。〈yomiyomi〉さん。いつも読《よ》まれて…………」

百加《ももか》は、机《つくえ》の上《うえ》にあるノートパソコンの画面《がめん》を見《み》やった。

そこには、百加《ももか》が番組《ばんぐみ》ホームページに送《おく》った投稿《とうこう》が表示《ひょうじ》されている。


こんにちは。東京在住《とうきょうざいじゅう》のモモンガです。

これは昨日《きのう》の夜《よる》に起《お》こった出来事《できごと》なのですが………。

家《いえ》にひとりでいるとき、電話《でんわ》がかかってきました。

なんと無言電話《むごんでんわ》でした。これでおしまいです。


「私《わたし》の話《はなし》、あんまこわくないのかな」

そのとき突然《とつぜん》、部屋《へや》のドアがバタンと開《ひら》いた。

びくっと震《ふる》えて振《ふ》りかえると、三歳年上《さいとしうえ》の姉《あね》、千歳《ちとせ》が部屋《へや》に入《はい》ってきた。千歳《ちとせ》は風呂《ふろ》あがりらしく、ロングヘアがまだぬれている。

「百加《ももか》ー。ドライヤー持《も》ってってたでしょ」

「もう、びっくりしたじゃん。千歳姉《ちとせねえ》。ノックしてよ！」

「あんたの髪《かみ》、そんなに長《なが》くないんだから、ドライヤーいらないでしょ」

「いるって」

千歳《ちとせ》が、百加《ももか》のにぎっていたスマートフォンをのぞきこんだ。そこに表示《ひょうじ》されている「オカルティックラジオ」の番組《ばんぐみ》ロゴを見《み》て、あきれ顔《がお》をする。

「あんた、またそんな不気味《ぶきみ》なもん聞《き》いてんの？」

「だっておもしろいんだもん」

「あんた昔《むかし》から好《す》きだよね、そういうオカルト系《けい》」

「いいでしょ。ほっといてよっ」

ぶすっと顔《かお》をそむけた百加《ももか》を尻目《しりめ》に、千歳《ちとせ》は百加《ももか》の机《つくえ》の上《うえ》を勝手《かって》にあさりはじめた。

「なにふてくされてんのよ。どーせ読《よ》まれなかったんでしょ」

「なっ…………」

「シロウトのつまらん投稿《とうこう》なんて、読《よ》まれるわけないでしょ〜？　はっはっは」

「つまらん…………だと!?」

「あ、ドライヤーあったー。じゃ〜ね〜」

千歳《ちとせ》はドライヤーを持《も》って、部屋《へや》からでていった。バタンとドアが閉《し》まる。

「つまらんって。ひどいっ！」

百加《ももか》はベッドに両手《りょうて》をつき、がっくりとうなだれた。

イヤホンのむこうでは、まだ番組《ばんぐみ》がつづいている。

『つづいてラジオネーム、〈ギャ王《おう》の城《しろ》〉さん』

またしても、百加《ももか》の投稿《とうこう》は読《よ》まれなかった。

「う…………う…………うが――――っっ！」

くやしさでいっぱいになった百加《ももか》は、ベッドから飛《と》びおりた。

そして、目《め》に涙《なみだ》を浮《う》かべて机《つくえ》にむかう。

（だったらものすごくこわいの送《おく》ってやる！　つくり話《ばなし》でもなんでもいい!!　絶対読《ぜったいよ》みたくなるようなやつ!!）

こわいストーリーを書《か》きだす前《まえ》に、まずは紙《かみ》にアイデアをまとめることにした。ノートパソコンはわきによけ、白《しろ》い画用紙《がようし》をひろげる。

「………そーだな。ユーレイの話《はなし》ばっかでつまんないから、化《ば》け物《もの》の話《はなし》にしよう。都市《とし》伝説《でんせつ》にありそうなやつ」

シャープペンシルを持《も》ち、やせて帽子《ぼうし》をかぶった女《おんな》のイラストを描《か》いてみる。

「ん〜〜。ありがち」

インパクトがたりなかった。これでは化《ば》け物《もの》という感《かん》じがしない。

百加《ももか》は帽子女《ぼうしおんな》のイラストをシャープペンシルでぐしゃぐしゃと塗《ぬ》りつぶし、新《あたら》しいイラストを描《か》きはじめた。

「気持《きも》ち悪《わる》くて、こわいやつがいいな。たとえば………」

頭蓋骨《ずがいこつ》にじかに目玉《めだま》を入《い》れたような、おそろしい頭部《とうぶ》。

口《くち》は大《おお》きく、ギザギザの歯《は》が生《は》えている。

長《なが》いバサバサの髪《かみ》は腰《こし》までのび、体《からだ》は骸骨《がいこつ》そのもの。

「おっ？　けっこうこわいかも」

百加《ももか》は描《か》きあげたイラストを見《み》て、つぶやいた。

シャープペンシルをおき、化《ば》け物《もの》のイラストをまじまじとみつめる。

「名前《なまえ》、つけるか。かんできそうだから…………『カミヤシ』!!」

百加《ももか》は得意《とくい》げに微笑《ほほえ》んだ。

「私《わたし》、けっこうセンスあるんじゃない？」

これならラジオで読《よ》まれるかもしれない。

百加《ももか》は、わきによけたノートパソコンをもう一度《いちど》正面《しょうめん》におきなおして、番組《ばんぐみ》ホームページの投稿《とうこう》フォームに文字《もじ》を打《う》っていった。


こんにちは。いつも聞《き》いています。

突然《とつぜん》ですが、カミヤシを知《し》っていますか？

都市伝説《としでんせつ》にでてくる化《ば》け物《もの》です――。


そして、一週間後《いっしゅうかんご》の火曜日《かようび》。

『はじまりました、オカルティックラジオ〰』

『『略《りゃく》して、オカラジ〰』』

大きい口
体が骨

『では、早速恐怖体験《さっそくきょうふたいけん》を紹介《しょうかい》していきまーす。ラジオネーム〈明日《あした》の君《きみ》へ〉さんからの投《とう》稿《こう》です。〈これは私《わたし》が学生《がくせい》のころに体験《たいけん》した話《はなし》です。当時私《とうじわたし》は、コンビニでバイトをしていました〉――――』

百加《ももか》はダイニングルームでソファに座《すわ》り、ラジオを聞《き》いていた。

キッチンのシンクの前《まえ》では、母親《ははおや》と千歳《ちとせ》が、明日持《あしたも》っていくお弁当《べんとう》の話《はなし》をしていた。母《はは》親《おや》が百加《ももか》のほうを振《ふ》りかえって言《い》う。

「百加《ももか》。もう十時《じゅうじ》すぎてるのよ。早《はや》く寝《ね》なさい」

イヤホンをしている百加《ももか》には、母親《ははおや》の声《こえ》はちっとも聞《き》こえていなかった。それよりもいまは、自分《じぶん》の投稿《とうこう》が読《よ》まれるかどうかのほうが問題《もんだい》だ。

（ぐ…………ぐぐぐ。ぜんぜん読《よ》まれない…………）

リスナーからの投稿《とうこう》は次々《つぎつぎ》と紹介《しょうかい》され、パーソナリティの三人《にん》がこわがったり、笑《わら》ったりしている。

百加《ももか》はスマートフォンの画面《がめん》をみつめて、しゅんとした。

（やっぱり私《わたし》の投稿《とうこう》はつまんないんだ…………）

もう投稿《とうこう》なんてやめようかと思《おも》った、そのときだった。

『つづいてラジオネーム…………〈モモンガ〉さん！』

百加《ももか》の瞳《ひとみ》が、ぱっと輝《かがや》いた。

（き…………）

「きたぁ――――――っっ!!」

大声《おおごえ》で叫《さけ》んでソファから飛《と》びおりる。

シンクの前《まえ》にいた母親《ははおや》と千歳《ちとせ》が、おどろいて振《ふ》りかえった。

「百加《ももか》、うるさいよ。なに騒《さわ》いでんの？」

「千歳姉《ちとせねえ》！　私《わたし》の投稿《とうこう》、読《よ》まれたよ！　読《よ》まれたもんね！」

「はぁ？」

母親《ははおや》と千歳《ちとせ》は、やれやれといった様子《ようす》で顔《かお》を見《み》あわせる。

百加《ももか》は、耳《みみ》に入《い》れていたイヤホンを、さらにぐっと押《お》しこんだ。

『〈こんにちは。いつも聞《き》いています。突然《とつぜん》ですが、カミヤシを知《し》っていますか？　都市《とし》伝説《でんせつ》にでてくる化《ば》け物《もの》です〉。ほう、ひさしぶりの化《ば》け物系《ものけい》の投稿《とうこう》、いいね！』

『お～～。こわいスね』
『なつかしいよね、カミヤシ』
『ひさしぶりに聞《き》いたなあ、カミヤシ』
『今夜《こんや》の番組《ばんぐみ》ラストをかざる投稿《とうこう》にぴったりだね！』
百加《もも か》はきょとんとした。
（ん？　なつかしい？）
カミヤシは百加《もも か》がつくったキャラクターだ。
なのに、なぜこの三人《にん》が知《し》っているのだろう。
（そっか、パーソナリティの人《ひと》、のってくれてるんだ。さすが）
『それではみなさん、こんな夜《よる》は、うしろに気《き》をつけてくださいね』
『また来週《らいしゅう》～～！』
百加《もも か》は満足《まんぞく》そうな笑《え》みを浮《う》かべて、ラジオのアプリを閉《と》じた。
次《つぎ》の日《ひ》、学校《がっこう》に行《い》くと、早速友《さっ そく とも》だちふたりが百加《もも か》の机《つくえ》のそばにやってきた。

「百加《ももか》！　昨日《きのう》のオカラジ聞《き》いたよ～」

「私《わたし》も聞《き》いた！」

百加《ももか》は、てれてニヤついた。

「へへっ。けっこうこわかった？　つくり話《ばなし》なんだけどさ」

「え？　カミヤシでしょ？」

「カミヤシ、超有名《ちょうゆうめい》じゃーん!!」

「また流行《はや》りはじめたんだねー」

「ねー。やばいよね」

（………え？）

百加《ももか》は目《め》をまるくした。

友《とも》だちも、昨日《きのう》のラジオパーソナリティと同《おな》じような反応《はんのう》をしたからだ。

「なんでみんな知《し》ってるの？」

「なんでって」

「人《ひと》から聞《き》いたんだよ」

「人《ひと》って、誰《だれ》から？」

「えっと……誰《だれ》だっけ。忘《わす》れちゃった」

「でも、百加《ももか》だってそうでしょ？　誰《だれ》かから聞《き》いたんだよね？」

「私《わたし》は……」

自分《じぶん》がつくった化《ば》け物《もの》だなんて、とても言《い》いだせない雰囲気《ふんいき》だ。

百加《ももか》はきつねにつままれたような気《き》持《も》ちで、一日《いちにち》をすごした。


家《いえ》に帰《かえ》ると、部屋《へや》に行《い》って、机《つくえ》の前《まえ》に座《すわ》る。

「カミヤシって有名《ゆうめい》なの？　私《わたし》が知《し》らなかっただけ？」

先週《せんしゅう》描《か》いたカミヤシのイラストは、まだ机《つくえ》の上《うえ》にひろげてあった。それを手《て》にとり、じっとみつめる。

「いや、いやいやいやいやいや!!　カミヤシは私《わたし》がつくった、架空《かくう》の化《ば》け物《もの》だよ!?」

もしかしたら、ラジオパーソナリティも、友《とも》だちも、他《ほか》の都市伝説《としでんせつ》とまちがえているのかもしれない。

（そうだよ。みんな、なにかかんちがいしてるんだ）

百加《もも か》はノートパソコンを開《ひら》き、「カミヤシ」と入力《にゅうりょく》して検索《けんさく》してみた。

検索結果《けんさくけっか》はすぐにでてきた。

「なんであるの？」

しかも、ヒット件数《けんすう》も膨大《ぼうだい》だった。『カミヤシとは』とタイトルのついたウェブページから『閲覧注意《えつらんちゅうい》！　カミヤシが人《ひと》を襲《おそ》ってる！』という動画《どうが》まである。

「検証《けんしょう》サイト……？」

百加《もも か》が『カミヤシ検証《けんしょう》サイト』というページを開《ひら》いてみると、カミヤシの特徴《とくちょう》が一覧《いちらん》になってのっていた。

○頭部《とうぶ》は髪《かみ》の長《なが》い女性《じょせい》
○体《からだ》は骨《ほね》の姿《すがた》
○つかまったら体中《からだじゅう》の肉《にく》や内臓《ないぞう》をかみちぎられて殺《ころ》される
○かみつくことから「カミヤシ」と名《な》づけられた説《せつ》がある

「同《おな》じだ。私《わたし》のやつと……」

そこに書《か》かれている特徴《とくちょう》は、百加《ももか》が考《かん》がえだしたカミヤシとほぼ同《おな》じだった。

ページをスクロールしていくと、気味《きみ》の悪《わる》い写真《しゃしん》がでてきた。

住宅街《じゅうたくがい》の一角《いっかく》を撮《と》った写真《しゃしん》だったが、電柱《でんちゅう》のうしろに、骸骨《がいこつ》に髪《かみ》だけを生《は》やしたような、不気味《ぶきみ》な生《い》き物《もの》が立《た》っている。

写真《しゃしん》には「N《エヌ》さんが撮《と》った写真《しゃしん》。その後《ご》、N《エヌ》さんとは連絡《れんらく》がとれていない」とキャプションがついていた。

百加《ももか》は、写真《しゃしん》と自分《じぶん》が描《か》いたイラストを見《み》くらべた。よく似《に》ている。

「私《わたし》がつくった話《はなし》が、本物《ほんもの》の都市伝説《としでんせつ》になってる」

まだ信《しん》じられなかった。

「なんで？　ラジオで読《よ》まれたから……？」

思《おも》わず立《た》ちあがって、あたふたと部屋《へや》のなかを歩《ある》きだした。

「えー、もしかして私《わたし》だまされてる？　まさか『モニタリング』とか!?　いや、でも私《わたし》みたいな小学生《しょうがくせい》、だまさないよね」

そして、はたとひらめいた。

(こんな体験《たいけん》こそ、オカラジに投稿《とうこう》しなきゃ!!)

百加《ももか》はいま、とてもふしぎな体験《たいけん》をしているところだ。これをそのまま書《か》いて送《おく》れば、ふしぎ体験《たいけん》エピソードとして採用《さいよう》されるかもしれない。


火曜日《かようび》がやってきた。

百加《ももか》は、開《ひら》いたノートパソコンの前《まえ》に座《すわ》り、オカルティックラジオを聞《き》いていた。

自分《じぶん》がいままさに体験《たいけん》している奇妙《きみょう》な出来事《できごと》を、番組《ばんぐみ》に投稿《とうこう》するつもりだ。

番組《ばんぐみ》では、今日《きょう》もリスナーの投稿《とうこう》が紹介《しょうかい》されている。

『〈――そのときでした。私《わたし》の横《よこ》を、白《しろ》い煙《けむり》がすーっと通《とお》りすぎていったのです。あれは一体《いったい》なんだったのでしょうか。いまだにわかりません。以上《いじょう》です〉。わー、こわいスね』

『こわいスね!』

「ははは。ぜんぜんこわくな〜〜い！」

百加《ももか》は、ひとりごとを言《い》って笑《わら》った。自分《じぶん》のほうがもっとこわい話《はなし》を書《か》ける自信《じしん》があった。

（待《ま》っててよ。いまから、こわおもしろい話《はなし》、送《おく》るから！）

パーソナリティが、次《つぎ》の投稿《とうこう》を読《よ》みあげる。

『はい〜〜。つづいて、ラジオネーム〈yomiyomi《ヨミヨミ》〉さん』

「えー、またこの人《ひと》だ」

yomiyomi《ヨミヨミ》という人《ひと》は、恐怖体験《きょうふたいけん》やウワサ話《ばなし》を数多《かずおお》く知《し》っていて、よく採用《さいよう》されている。オカルティックラジオの常連投稿者《じょうれんとうこうしゃ》だった。

『〈私《わたし》は沖縄《おきなわ》に住《す》んでいるのですが、昨日《きのう》、N《エヌ》市《し》でカミヤシを見《み》ました〉。おっと、またカミヤシの体験談《たいけんだん》ですね』

百加《ももか》は、パソコンのキーボードを打《う》つ手《て》をとめた。

（え？　なに言《い》ってんの、このyomiyomi《ヨミヨミ》って人《ひと》。カミヤシはあくまでつくり物《もの》だよ？）

『最近《さいきん》、カミヤシの目撃談《もくげきだん》、多《おお》いスね』

『ほんとだねー』

『そして次《つぎ》が最後《さいご》の方《かた》です。ラジオネーム〈ギャ王《おう》の城《しろ》〉さん。〈今朝《けさ》、出勤時《しゅっきんじ》に、小学《しょうがく》生《せい》がカミヤシを見《み》たと騒《さわ》いでいました。鹿児島県《かごしまけん》、H市《エイチし》です〉。さて、ここからが問題《もんだい》なんだけどさ、この目撃談《もくげきだん》が投稿《とうこう》された日付《ひづけ》を見《み》て』

『おお！　さっきの投稿《とうこう》の翌日《よくじつ》じゃないスか！』

『これはどう考《かんが》えても、カミヤシが一日《にち》で沖縄《おきなわ》から鹿児島《かごしま》に移動《いどう》したってことだよね〜』

『いや〜、こわいスねえ』

「ははは…………。カ、カミヤシ、めちゃくちゃ足速《あしはや》いじゃん…………」

百加《ももか》は笑《わら》ってみたものの、少《すこ》しおそろしさも感《かん》じはじめていた。

そこに、千歳《ちとせ》がやってきた。

「百加《ももか》!!　ミシッター見《み》てる？　カミヤシがトレンドに入《はい》ってるよ」

ミシッターとは、みんなが自由《じゆう》につぶやくSNS《エスエヌエス》だ。

「トレンドに？」

百加《もも》はパソコンでトレンドキーワードを調《しら》べてみた。

すると「おすすめトレンド」一覧《いちらん》に、ずらりとカミヤシ関連《かんれん》のハッシュタグがならんでいる。ミシッターは、ハッシュタグつきのつぶやきでいっぱいだった。

沖縄《おきなわ》で見《み》たよ　#カミヤシいまどこ　#オカラジとカミヤシ
香川県《かがわけん》H《エイチ》市《し》にもでたらしいぞ　#オカラジとカミヤシ
H《エイチ》市《し》の駅《えき》でサラリーマンが見《み》たって騒《さわ》いでる　#カミヤシいまどこ

「うそ……めっちゃつぶやかれてる」

「なつかしいね、カミヤシ」

と、千歳《ちとせ》が百加《もも》の頭《あたま》にもたれかかり、パソコンの画面《がめん》に目《め》をむけた。

そのとき、百加《もも》はあることに気《き》づいた。

「沖縄《おきなわ》、鹿児島《かごしま》、香川《かがわ》……………。なんか北上《ほくじょう》してない？」

千歳《ちとせ》が身《み》をのりだし、画面《がめん》をのぞきこむ。

「うわ、ほんとだ。あれかな、カミヤシってウワサをひろめたやつを襲《おそ》いに行《い》くんでしょ。そいつを目指《めざ》して北上《ほくじょう》してるとか？」

百加《ももか》はとっさに千歳《ちとせ》を見《み》あげた。

（なにそれ。そんな設定《せってい》、私《わたし》は考《かんが》えなかったよ？）

背《せ》すじにぞっと寒気《さむけ》が走《はし》る。

「え？　あんた知《し》らないの？　カミヤシは自分《じぶん》の話《はなし》をきらうから、ウワサをひろめたやつが許《ゆる》せないんだよ」

千歳《ちとせ》は、そう言《い》いのこすと「じゃあね」と部屋《へや》をでていった。

オカラジのオンエアはいつの間《ま》にか終《お》わっていた。

百加《ももか》ひとりになった部屋《へや》は、しんと静《しず》まりかえっている。

（カミヤシなんて、いるわけないのに…………）

百加《ももか》は指《ゆび》の震《ふる》えをどうにかおさえ、自分《じぶん》に言《い》いきかせる。

（なにびびってんの。私《わたし》だったら……カミヤシを消《け》せるじゃん）

自分《じぶん》で生《う》みだした化《ば》け物《もの》なら、自分《じぶん》で消《け》せるはずだ。

百加《ももか》はニヤリと笑《わら》い、紙《かみ》とペンを用意《ようい》した。そして、思《おも》いつくままに、新《あたら》しい化《ば》け物《もの》を考《かんが》えていった。

「化《ば》け物《もの》には、化《ば》け物《もの》で対抗《たいこう》だ」

「カミヤシをまるごと消《け》せるような化《ば》け物《もの》がいい………」

ところが、なかなかぴったりくる化《ば》け物《もの》が生《う》みだせない。

描《か》いては「こんなのダメ」と塗《ぬ》りけし、そのうち紙《かみ》が消《け》しあとで黒《くろ》くなってくると、それをまるめて捨《す》てて、新《あたら》しい紙《かみ》に描《か》きはじめる。

夜中《よなか》の一時《じ》をすぎたころ、ようやく百加《ももか》はペンをおいた。

「………できた」

紙《かみ》には、ふわふわした雲《くも》に手足《てあし》をつけたような、かわいいモンスターが描《か》かれている。

「カミヤシを食《た》べちゃう、『モグモグ』だよ」

大《おお》きな口《くち》を持《も》つモグモグは「悪《わる》い化《ば》け物《もの》を食《た》べる、いい化《ば》け物《もの》」という設定《せってい》にした。

(これをラジオで読《よ》んでもらえれば………)

願《ねが》いをこめて、百加《ももか》は番組《ばんぐみ》ホームページに投稿《とうこう》した。

学校《がっこう》では、みんながカミヤシのウワサ話《ばなし》をしていた。

「今度《こんど》は、愛知県《あいちけん》T《ティー》市《し》で目撃《もくげき》されたってよ」

「ちょっと関東《かんとう》に近《ちか》づいてきてない？」

「話《はなし》をひろめたやつを追《お》ってるんじゃね？」

「やっぱり〜〜」

クラスメイトたちのそんな話《はなし》を聞《き》きながら、百加《ももか》はあせっていた。

（大丈夫《だいじょうぶ》、大丈夫《だいじょうぶ》。近《ちか》づいてきてるなんて、ただのウワサ話《ばなし》なんだし…………）

次《つぎ》の火曜日《かようび》までが、いつもより長《なが》く感《かん》じられた。

待《ま》ち遠《どお》しくてじりじりしながら一週間《いっしゅうかん》をすごし、番組《ばんぐみ》がはじまる時間《じかん》にスマートフォンのラジオアプリを開《ひら》く。

机《つくえ》の上《うえ》のノートパソコンは、ミシッターのつぶやきを見《み》るために開《ひら》いておいた。

『はじまりました。オカルティッククラジオ』

『『略《りゃく》して、オカラジ〜』』

『早速体験談《さっそくたいけんだん》を紹介《しょうかい》しま〜〜す』
『はい、それでは最初《さいしょ》の体験談《たいけんだん》。ラジオネーム〈黄泉《よみ》おわった〉さん』
百加《ももか》はベッドの上《うえ》に正座《せいざ》をし、クッションをぎゅっと強《つよ》く抱《だ》きしめた。
期待《きたい》と不安《ふあん》がいりまじり、心臓《しんぞう》がバクバク鳴《な》っている。
「だ、大丈夫《だいじょうぶ》。いまに読《よ》まれるって…………」
しかし、番組《ばんぐみ》がスタートして四十分《よんじゅっぷん》がたっても、百加《ももか》の投稿《とうこう》は聞《き》こえてこない。
『え〜、つづいて、ラジオネーム〈ガブリエル〉さんの体験談《たいけんだん》です――――』
パソコンの画面《がめん》を見《み》ると、ミシッターのつぶやきがどんどん流《なが》れていっている。

静岡《しずおか》あたりで見《み》たやつがいる　#カミヤシいまどこ
静岡《しずおか》のH《エイチ》市《し》　#カミヤシいまどこ
今度《こんど》は山梨《やまなし》だってー　やばーいｗｗ　#カミヤシいまどこ

ベッドの上《うえ》においたスマートフォンからは、パーソナリティの楽《たの》しげなおしゃべりが聞《き》こえてきていた。

『それでは、ラジオネーム〈ロック鈴木《すずき》〉さんからいただいた体験談《たいけんだん》――』

『次《つぎ》は、ラジオネーム〈幽霊《ゆうれい》ラブ〉さんから――』

いくら待《ま》っても、百加《ももか》の投稿《とうこう》は読《よ》まれない。

百加《ももか》はクッションのかわりに自分《じぶん》のひざをかかえ、恐怖《きょうふ》にちぢこまっていた。

「なんで………どうして読《よ》んでくれないのっ⁉」

思《おも》わず百加《ももか》は叫《さけ》んでしまった。そんな百加《ももか》のあせりも知《し》らず、ミシッターのつぶやきは流《なが》れつづけている。

誰《だれ》かつぶやいて～　#カミヤシいまどこ
私《わたし》の地域《ちいき》、通《とお》りすぎたっぽい　よかった～！　つきすすめw　#カミヤシいまどこ
こわいけど目的地《もくてきち》が気《き》になる　#カミヤシいまどこ
どこだどこだ？　#カミヤシいまどこ

つぶやきを見《み》ているうちに、百加《ももか》はだんだんいらだってきた。

「バカじゃないの！　つくり話《ばなし》なの！　私《わたし》がつくったの!!」

そう叫《さけ》ぶと、まるで応《こた》えるかのように、新《あたら》しいつぶやきが画面《がめん》に現《あらわ》れた。

東京《とうきょう》にいるよ　#カミヤシいまどこ

ザ……ザザ……ザ――――。

(なに!?)

突然《とつぜん》、窓《まど》の外《そと》でなにかがこすれるような音《おと》がして、百加《ももか》は振《ふ》りかえった。

誰《だれ》もいない。ただの風《かぜ》の音《おと》だったようだ。

「百加《ももか》」

「ひっ!!」

今度《こんど》は名前《なまえ》を呼《よ》ばれ、ドアのほうを振《ふ》りかえる。いつの間《ま》にか千歳《ちとせ》が部屋《へや》に入《はい》ってきていた。百加《ももか》は、心臓《しんぞう》のあたりを手《て》のひらで押《お》さえた。

「……………なんだ、千歳姉《ちとせねえ》か」

「あんた、まだ起《お》きてんの？」

「あ…………うん。なに？」

「これこれ、トレンドのカミヤシ〜〜。なつかしくてひっぱりだしてきちゃった！」

千歳《ちとせ》は、ふたりがまだ小《ちい》さかったころにつくった、お絵描《えか》きブックを持《も》っていた。画用《がよう》紙《し》をひもでとじただけの簡単《かんたん》な本《ほん》だ。

表紙《ひょうし》には、つたない字《じ》で「ももか　5さい　ちとせ　8さい」と書《か》かれている。

「ほら、これ。七年前《ねんまえ》に百加《ももか》とつくったやつ」

「…………それのどこがカミヤシ？　どういうこと？」

百加《ももか》がまゆ根《ね》を寄《よ》せると、千歳《ちとせ》はお絵描《えか》きブックを開《ひら》いて手渡《てわた》した。

「これだよ、これ」

そこには、骸骨《がいこつ》のような体《からだ》をして、髪《かみ》がバサバサに乱《みだ》れた化《ば》け物《もの》の絵《え》があった。

絵《え》の横《よこ》には「ももか　さく　かみやし」とクレヨンで書《か》いてある。

その瞬間《しゅんかん》、百加《ももか》の記憶《きおく》の扉《とびら》が開《ひら》いた。

七年前《ねんまえ》のある夜《よる》。

百加《ももか》と千歳《ちとせ》は、リビングルームにいて、ローテーブルをかこんで座《すわ》っている。

ローテーブルの上《うえ》には、画用紙《がようし》とクレヨン。

ふたりは思《おも》いおもいの絵《え》を、画用紙《がようし》に描《か》いていた。

テレビから、おそろしげな音楽《おんがく》が聞《き》こえてきて、ふたりはそちらを見《み》る。

都市伝説《としでんせつ》や七不思議《ななふしぎ》を紹介《しょうかい》する番組《ばんぐみ》がはじまった。

その日《ひ》の特集《とくしゅう》は「独占《どくせん》スクープ！　恐怖《きょうふ》のカミヤシ」。

「お姉《ねえ》ちゃん、見《み》て。恐怖《きょうふ》のカミヤシだって」

「恐怖《きょうふ》とか言《い》ってるけどさ、あんまこわくないね」

「うん。私《わたし》、カミヤシ描《か》こうっと」

百加《ももか》は、テレビ画面《がめん》を見《み》ながら、画用紙《がようし》にカミヤシを描《か》き――。

百加《ももか》はぼうぜんとして、自分《じぶん》の描《か》いた絵《え》をみつめた。

「…………これ、昔《むかし》、私《わたし》が描《か》いた絵《え》…………」

「そうだよ。小《ちい》さいころに、テレビの都市伝説特集《としでんせつとくしゅう》でやっててさ。ぜんぜんこわくないって言《い》いながら、ふたりで絵《え》、描《か》いて遊《あそ》んだよね」

ということは――――。

(私《わたし》が、カミヤシの生《う》みの親《おや》じゃないってこと？　忘《わす》れちゃってただけで、ずっと私《わたし》の記《き》憶《おく》のなかにいた…………？)

百加《ももか》は開《ひら》いたお絵描《えか》きブックを持《も》ち、凍《こお》りついたように動《うご》けなくなった。

(カミヤシはもともと存在《そんざい》していたの？)

百加《ももか》の青《あお》ざめた顔《かお》を、千歳《ちとせ》はのぞきこんだ。

「どうした、百加《ももか》？」

「…………なんでもない」

「そう？　じゃ、私寝《わたしね》るわ～。おやすみ～」

千歳《ちとせ》は部屋《へや》をでていった。

百加《ももか》は口《くち》を中途半端《ちゅうとはんぱ》に開《ひら》き、視線《しせん》をただよわせる。

（だとしたら………カミヤシが私《わたし》のつくった化《ば》け物《もの》じゃないんなら………）

ベッドの上《うえ》のスマートフォンから、パーソナリティの声《こえ》が聞《き》こえてくる。

『では最後《さいご》の投稿《とうこう》で〜す。ラジオネーム〈モモンガ〉さん。〈こんにちは。カミヤシの話《はなし》をした者《もの》です。カミヤシのライバル、モグモグを知《し》っていますか？　モグモグは悪《わる》い化《ば》け物《もの》を食《た》べてくれます〉。へー、モグモグっていうのもいるんだ！『おっと、これは知《し》らなかったっスね〜〜』

百加《ももか》の投稿《とうこう》が読《よ》まれた。

けれど、もう遅《おそ》い。

「………カミヤシは本当《ほんとう》に存在《そんざい》してるんだ。こんなモグモグなんて架空《かくう》の化《ば》け物《もの》、意味《いみ》ないじゃん」

百加《ももか》の心《こころ》に絶望《ぜつぼう》がひろがった。

そんなことなど知《し》りもしないパーソナリティは、三人《にん》で楽《たの》しそうにおしゃべりをつづけている。

『モグモグってかわいい名前《なまえ》だね〜〜』

『それにしても、カミヤシはいまどこにいるのかな。見《み》た人《ひと》はどんどん投稿《とうこう》してね！』

『はーい。そろそろエンディングかな』

ふいに百加《ももか》は、背後《はいご》に気配《けはい》を感《かん》じて、顔《かお》をあげた。

窓《まど》ガラスに、百加《ももか》の姿《すがた》と、そのうしろになにかが映《うつ》っている。


それは、肉《にく》も内臓《ないぞう》もない、骸骨《がいこつ》の体《からだ》をしていた。

長《なが》い髪《かみ》はバサバサにもつれ、腰《こし》のあたりをこえ床《ゆか》にまでとどいている。

目玉《めだま》は飛《と》びだすほど大《おお》きく、口《くち》は耳《みみ》まで裂《さ》けている。


その口《くち》がガバッと開《ひら》くのを、百加《ももか》は窓《まど》ガラスごしに見《み》た。

次《つぎ》の瞬間《しゅんかん》、何十本《なんじゅっぽん》ものとがった歯《は》が、百加《ももか》の頭《あたま》にかみついた。

「あ…………」

百加《ももか》の短《みじか》い悲鳴《ひめい》に、パーソナリティの声《こえ》がかさなった。

『みなさん、こんな夜《よる》はうしろに気《き》をつけてくださいね』

エピローグ

百二十時間目《ひゃくにじゅうじかんめ》の授業《じゅぎょう》、楽《たの》しんでいただけましたか？

都市伝説《としでんせつ》のカミヤシは、ウワサをひろめた人《ひと》を襲《おそ》いに行《い》くそうです。

うっかりラジオに投稿《とうこう》してしまった少女《しょうじょ》は、あのあとどうなったのでしょう。

それは誰《だれ》にもわかりません。

ところで、カミヤシのウワサをひろめた人《ひと》は、少女《しょうじょ》だけではありませんでしたよね？

オカルティックラジオのパーソナリティ三人《にん》も、同《おな》じです。

聞《き》く話《はなし》によると、オカラジは人気番組《にんきばんぐみ》だったはずなのに、あの直後《ちょくご》に打《う》ちきりになってしまったらしいのです。

理由《りゆう》は、突然《とつぜん》パーソナリティが消《き》えてしまったから……………とも言《い》われています。

本当《ほんとう》かって？

それも、誰《だれ》にもわかりません。

みなさんも、虚栄心《きょえいしん》を満《み》たそうとして、気軽《きがる》にこわい話《はなし》を投稿《とうこう》しないようにしてくださいね。

ウワサをひろめられたくない「誰《だれ》か」にねらわれるかもしれませんよ。

121
時間目《じかんめ》

壁《かべ》からの視線《しせん》

プロローグ

こんにちは。
みなさん、ちゃんと
集《あつ》まっていますね。
さあ、百《ひゃく》二《に》十《じゅう》一《いち》時《じ》間《かん》目《め》の
授業《じゅぎょう》をはじめましょう。
みなさんは、誰《だれ》かに片思《かたおも》いを
したことがありますか？
好《す》きなのに、ぜんぜん気《き》づいてもらえない。
勇《ゆう》気《き》がなくて、思《おも》いを伝《つた》えられない。
思《おも》いきって気《き》持《も》ちを伝《つた》えたのに、振《ふ》りむいてもらえない。

好《す》きになってはいけない相手《あいて》を、好《す》きになってしまった。
………などなど、片思《かたおも》いってせつないものですね。
今回《こんかい》は、そんなせつなく、そしておそろしいお話《はなし》です。
主人公《しゅじんこう》たちは、恋《こい》を実《みの》らせることができるでしょうか。
それとも悲劇《ひげき》のうちに終《お》わるでしょうか。
私《わたし》としては、みんなが幸《しあわ》せになるといいのですが。
ふふふ………。
それでは、片思《かたおも》い劇場《げきじょう》のはじまりです！

登校前《とうこうまえ》の増田春希《ますだはるき》が念入《ねんい》りにやることは、メイク。

今日《きょう》も母親《ははおや》のメイクボックスから、ピンク色《いろ》のリップグロスをとりだすと、ていねいに、ていねいに唇《くちびる》をぬった。

顔《かお》の角度《かくど》を変《か》えながら、鏡《かがみ》でできばえをたしかめる。

「ふふっ。これでカンペキ！」

そこへ、母親《ははおや》があわててやってきた。腕《うで》のなかには、ペットのチワワを抱《だ》いている。

「春希《はるき》！　ママのグロスまた使《つか》って！」

母親《ははおや》が大《おお》きな声《こえ》をだすと、チワワがクゥーンと鳴《な》いた。

「学校《がっこう》にメイクなんてしていったらダメでしょう？　あなた、いくつだと思《おも》ってるの。まだ小学《しょうがく》六年生《ねんせい》よ？」

「いいんだもーん」

「それに、服《ふく》だって大人《おとな》っぽすぎない？　そのセットアップはお休《やす》みの日《ひ》に着《き》るって約束《やくそく》で買《か》ったのに……」

「これでいいの」

大胆《だいたん》な柄《がら》の入《はい》ったミニスカートのセットアップに、首《くび》にはチョーカー。髪《かみ》は毛先《けさき》を少《すこ》し巻《ま》いて、ハーフツインテールにしている。

「よくないわよ。先生《せんせい》に怒《おこ》られるわよ」

「いいのっ。行《い》ってきまーす！」

春希《はるき》はランドセルを背負《せお》うと、玄関《げんかん》を飛《と》びだしていった。

(だって、その先生《せんせい》に見《み》せたいんだもん♡)

春希《はるき》は、ある先生《せんせい》のために大人《おとな》っぽくしているのだった。

この春《はる》に赴任《ふにん》してきた、犬塚優也《いぬづかゆうや》先生《せんせい》だ。

アイドルグループにいてもおかしくないほど、顔立《かおだ》ちが整《ととの》っていて、スタイルも抜群《ばつぐん》。服装《ふくそう》はシンプルなトレーナーやシャツが多《おお》いが、なにを着《き》ても似合《にあ》う。名札《なふだ》を入《い》れて首《くび》からかけているネームホルダーさえ、とてもおしゃれに見《み》えた。

犬塚先生《いぬづかせんせい》は四年生《ねんせい》を受《う》けもっているから、いつでも会《あ》えるわけではない。

(早《はや》く先生《せんせい》に会《あ》いたいな♡)

登校《とうこう》した春希《はるき》は、わざわざ遠《とお》まわりして職員室前《しょくいんしつまえ》のろうかにむかう。きょろきょろあたりを見《み》まわしながら歩《ある》いていると、遠《とお》くから犬塚先生《いぬづかせんせい》がやってきた。

(来《き》たっ!)

春希《はるき》は素早《すばや》く前髪《まえがみ》を整《ととの》え、唇《くちびる》のはしをキュッとあげて笑顔《えがお》をつくった。

春希《はるき》に気《き》づいた犬塚先生《いぬづかせんせい》が微笑《ほほえ》む。

「おはよう、春希《はるき》」

「おはよ、犬塚《いぬづか》せんせっ!」

春希《はるき》はとびっきりのかわいい声《こえ》で、あいさつを返《かえ》した。

すると、すたすたと正面《しょうめん》まで歩《ある》いてきた犬塚先生《いぬづかせんせい》が、かがんで春希《はるき》の顔《かお》をじっとのぞきこんだ。かがんだ拍子《ひょうし》に、首《くび》からかけていたネームホルダーがぶらぶらゆれる。

「せ、先生《せんせい》、なに!?」

「ん〜〜？」

（か、顔《かお》が近《ちか》いんだけどっ！）

春希《はるき》の顔《かお》が、真《ま》っ赤《か》に染《そ》まった。

「またおまえ、メイクしてる？」

（びっくりしたぁ…………メイクを見《み》てたのか）

「へへっ。似合《にあ》う？」

「ほどほどにしとけよ？」

「え〜〜」

「僕《ぼく》だからいいけど、他《ほか》の先生《せんせい》にバレたら怒《おこ》られちゃうからな」

「わかってるよ〜。へへっ」

（私《わたし》は、先生《せんせい》にだけ見《み》てもらえればいいの♡）

犬塚先生《いぬづかせんせい》は、困《こま》ったようにまゆ尻《じり》をさげた。

「ほどほどだぞ？　わかった？」

「うんっ」

犬塚先生《いぬづかせんせい》はさわやかな笑顔《えがお》を残《のこ》して、歩《ある》いていく。そのうしろ姿《すがた》を、春希《はるき》はうっとりと見送《みおく》った。

(犬塚先生《いぬづかせんせい》って、顔《かお》がどストライク。私《わたし》、一瞬《いっしゅん》で恋《こい》に落《お》ちちゃったんだよね)

笑顔《えがお》がおさえられなくて、春希《はるき》はほてる頬《ほお》を両手《りょうて》でおおった。

(メイクしてるって、気《き》づいてくれた)

と、そのとき、春希《はるき》とすれちがったふたりの女子《じょし》が、こそこそ話《はな》しているのが聞《き》こえてきた。

「学校《がっこう》にメイクしてくるとか、信《しん》じらんないよね」

「で、結局《けっきょく》、注意《ちゅうい》されてやんの」

「目立《めだ》とうとしてるだけじゃん。ばかみたーい」

「服《ふく》も派手《はで》だし、そんなに気《き》をひきたいのかな」

(私《わたし》のことじゃん。ムカツクっ!)

春希《はるき》はこういうとき、おとなしくひきさがらないタイプだ。立《た》ちどまり、くるりと振《ふ》りかえった。

「は!? なんか言《い》っ――――」

文句《もんく》を言《い》いかけて、はっと言葉《ことば》をのみこんだ。職員室《しょくいんしつ》の扉《とびら》の前《まえ》に、犬塚先生《いぬづかせんせい》の姿《すがた》が見《み》えたのだ。

いっしょにいるのは、別《べつ》のクラスの女性教師《じょせいきょうし》だった。ふたりは親《した》しげにおしゃべりをしている。

「犬塚《いぬづか》くん、朝《あさ》の会《かい》がはじまるわよ」

「ああ、急《いそ》がなきゃ。そう言《い》えば、先生《せんせい》がさがしてた資料《しりょう》あったよ」

「えっ、ほんと? よかった!」

「あとで渡《わた》すね」

「ありがと。助《たす》かるわー」

いかにも仕事仲間《しごとなかま》といった雰囲気《ふんいき》の、大人同士《おとなどうし》の会話《かいわ》だ。

春希《はるき》は、くやしさとさびしさで、目《め》をふせた。

(わかってる。私《わたし》は子《こ》どもで、むこうは大人《おとな》)

犬塚先生《いぬづかせんせい》と女性教師《じょせいきょうし》の姿《すがた》を目《め》で追《お》っているうちに、ふたりがだんだんお似合《にあ》いのカップルのように思《おも》えてきた。

(私《わたし》が恋愛対象《れんあいたいしょう》になれるわけない…………)

いくらメイクをしても、大人《おとな》びたおしゃれをしても、犬塚先生《いぬづかせんせい》は春希《はるき》のことなんて相手《あいて》にしていないのだ。

それは春希《はるき》にも、よくわかっていた。

(早《はや》く大人《おとな》になりたい)

春希《はるき》はふうっとため息《いき》をついた。


給食《きゅうしょく》が終《お》わり、掃除《そうじ》の時間《じかん》になった。

春希《はるき》たちの班《はん》の掃除場所《そうじばしょ》は、昇降口《しょうこうぐち》から北《きた》にむかったろうかの一角《いっかく》だ。そのあたりは日《ひ》あたりが悪《わる》く、少《すこ》しかびくさい。

「男子《だんし》もちゃんと掃除《そうじ》してよね」

女子《じょし》のひとりが言《い》うと、まるめた雑巾《ぞうきん》ボールとモップで野球《やきゅう》ごっこをしていた男子《だんし》たちは、「女子《じょし》うるせー」と舌打《したう》ちして、それぞれが担当《たんとう》する場所《ばしょ》に散《ち》っていった。

春希《はるき》はふんと鼻《はな》を鳴《な》らす。

（あいつらって、いつまでたってもガキなんだから。やっぱり私《わたし》は、犬塚先生《いぬづかせんせい》みたいな大人《おとな》がいいなぁ）

ここの班《はん》の女子《じょし》は、春希《はるき》を入《い》れて三人《にん》。

三人《にん》でほうきを持《も》ち、床《ゆか》を掃《は》いていると、ひとりが言《い》った。

「犬塚先生《いぬづかせんせい》、ほんとかっこいいよね♡」

「うちのクラスの女子《じょし》、みーんな好《す》きなんじゃない？」

と、もうひとりが返《かえ》す。

春希《はるき》はふたりの会話《かいわ》にくわわらず、だまって聞《き》いていた。

「私《わたし》もそう思《おも》う。やさしいしー、話《はなし》聞《き》いてくれるしー」

「犬塚先生《いぬづかせんせい》のことぎらいな女子《じょし》って、いなくない？」

「しかも、わりと男子《だんし》からも人気《にんき》あるじゃん？」

「そう！　そこも好感度高《こうかんどたか》いよね～」

ふたりは笑《わら》い、春《はる》希《き》も愛《あい》想《そ》笑《わら》いをした。しかし心《こころ》のなかではうんざりしていた。

(いいな、ミーハーな人《ひと》は気《き》楽《らく》で)

春《はる》希《き》は本《ほん》気《き》で恋《こい》をしていた。だからみんなのように簡《かん》単《たん》に「いいよね」なんて口《くち》にすることができなかった。

ぼんやりとほうきを動《うご》かしながら、春《はる》希《き》はふと横《よこ》をむいた。

よく見《み》ると、ろうかの壁《かべ》に、大《おお》きなシミがある。

(ここにこんなシミ、あったっけ)

シミは床《ゆか》の近《ちか》くから上《うえ》へのび、ちょうど春《はる》希《き》の背《せ》と同《おな》じくらいの高《たか》さまでひろがっている。

どことなく、人《にん》間《げん》のシルエットを思《おも》わせた。

そのときだった。

「なつかしいな、これ」

と、耳《みみ》の近《ちか》くで声《こえ》がして、春《はる》希《き》は振《ふ》りかえった。

犬《いぬ》塚《づか》先《せん》生《せい》が、シミの高《たか》さに合《あ》わせるように、中《ちゅう》腰《ごし》になって立《た》っている。子《こ》どもの目《め》線《せん》に合《あ》わせ、かがんであげるときの仕草《しぐさ》だ。

「このシミ、先生《せんせい》がこの学校《がっこう》に通《かよ》ってたころからあるぞ」

女子《じょし》たちは、あこがれの先生《せんせい》に話《はな》しかけられ、思《おも》わず黄色《きいろ》い声《こえ》をあげた。

「キャ——!! 先生《せんせい》!!」

「先生《せんせい》! なにしてんの? 見《み》まわり?」

春希《はるき》が興奮《こうふん》ぎみに聞《き》く。

「そう、みんながちゃんと掃除《そうじ》してるかどうかチェック………なんてね、冗談《じょうだん》だよ。校《こう》務員室《むいんしつ》に行《い》くところ」

犬塚先生《いぬづかせんせい》は、ははは と笑《わら》って、壁《かべ》のシミを指《ゆび》さした。

「コレのこと、みんなの世代《せだい》は知《し》らない?」

三人《にん》は首《くび》を横《よこ》に振《ふ》った。誰《だれ》もシミのことは知《し》らなかった。

「ほら、よく見《み》ると女《おんな》の子《こ》に見《み》えるだろ」

春希《はるき》は、シミの真正面《ましょうめん》に立《た》ってみた。

「あー、たしかに………」

（下《した》のほうは足《あし》みたいだし、それからこれは……スカート？）

足《あし》に見《み》える線《せん》の上《うえ》には、スカートのようにひろがっている部分《ぶぶん》がある。

そして顔《かお》にあたるところには、目《め》と口《くち》のような、白《しろ》い部分《ぶぶん》がある。

（ここが顔《かお》かな？　本当《ほんとう》に女《おんな》の子《こ》に見《み》える）

見《み》れば見《み》るほど、シミは人間《にんげん》の女《おんな》の子《こ》の形《かたち》そのものに思《おも》えてきた。

「変《へん》なシミだね」

「このシミは、誰《だれ》をひきずりこもうか、壁《かべ》のなかからじっと選《えら》んでるってウワサだぞ」

犬塚先生《いぬづかせんせい》が低《ひく》い声《こえ》でそう言《い》うと、女子《じょし》ふたりが叫《さけ》んだ。

「ギャ――――ッ！」

「やだやだ、そういう話《はなし》！」

「ただのウワサだよ、ウワサ」

犬塚先生《いぬづかせんせい》が明《あか》るく笑《わら》い、シミをやさしいまなざしでみつめる。そして、頭《あたま》のように見《み》えるあたりを、まるで人間《にんげん》にするようにぽんぽんとなでた。

「昔《むかし》は通《とお》るたびにこわかったのに、大人《おとな》になるとぜんぜん平気《へいき》だな」

犬塚先生《いぬづかせんせい》がこの学校《がっこう》の卒業生《そつぎょうせい》だということは、みんな知《し》っていた。でも、こうして昔話《むかしばなし》を聞《き》くと、春希《はるき》はつい考《かんが》えてしまう。

(犬塚先生《いぬづかせんせい》の小学生時代《しょうがくせいじだい》か。きっとモテたんだろうなぁ)

春希《はるき》は、いまの先生《せんせい》を幼《おさな》くして、かわいくした様子《ようす》を想像《そうぞう》した。

(もしそのころに出会《であ》ってたら、先生《せんせい》だって子《こ》どもだし、もしかしたら私《わたし》たち、つきあえたかもしれないのに………)

「春希《はるき》」

ふいに先生《せんせい》から名前《なまえ》を呼《よ》ばれ、春希《はるき》はおどろいて顔《かお》をあげた。

「な、なに?」

「朝《あさ》はああ言《い》ったけど、メイクの技術《ぎじゅつ》をみがくのは将来《しょうらい》ムダにならないから、がんばれよ」

春希《はるき》の目《め》がぱっと輝《かがや》いた。心《こころ》に花《はな》が咲《さ》いたような気分《きぶん》だ。

犬塚先生《いぬづかせんせい》はやさしく笑《わら》い、さっきシミにしたように、春希《はるき》の頭《あたま》をぽんぽんとなでる。

「春希《はるき》の好《す》きなこと、否定《ひてい》したくないからな」

「うん……」

(私《わたし》のこと、考《かんが》えてくれてる)

いつも元気《げんき》いっぱいにアピールする春希《はるき》だったが、さすがにてれてしまう。

目《め》をふせてうつむくと、心臓《しんぞう》がドキドキして、顔《かお》が熱《あつ》くなった。

(どうしよう。どんどん好《す》きになっちゃうよ……)

春希《はるき》の気持《きも》ちは、もう誰《だれ》にもとめられなかった。


その翌日《よくじつ》。

春希《はるき》はその日《ひ》も気合《きあ》いを入《い》れておしゃれをした。オフショルダーのカットソーにショートパンツを合《あ》わせ、唇《くちびる》のツヤもばっちりだ。

そして、いつものように職員室前《しょくいんしつまえ》へ行《い》こうと、足早《あしばや》に校舎《こうしゃ》にむかう。

(昨日《きのう》は先生《せんせい》に頭《あたま》ぽんぽんされちゃった……まともに先生《せんせい》の顔《かお》、見《み》られるかな)

靴箱《くつばこ》の前《まえ》で上履《うわば》きにはきかえ、ふと横《よこ》を見《み》る。

すると、北側《きたがわ》にむかうろうかに、犬塚先生《いぬづかせんせい》の姿《すがた》をみつけた。

（あ、いた！　ラッキー！）

先生《せんせい》は壁《かべ》に体《からだ》をむけ、身《み》じろぎもせずに立《た》っている。

ちょうど、あのシミの前《まえ》だ。

「先生《せんせい》、おはよっ」

犬塚先生《いぬづかせんせい》は返事《へんじ》をしなかった。まばたきもせずに、シミをみつめている。

「……………先生《せんせい》？」

犬塚先生《いぬづかせんせい》は、催眠術《さいみんじゅつ》が解《と》けたかのように我《われ》に返《かえ》り、春希《はるき》に顔《かお》をむけた。

「おお。春希《はるき》」

「どうしたの？」

「いや、なんでも…………お、今日《きょう》もメイクしてるのか」

（気《き》づいてくれたっ）

春希《はるき》の顔《かお》に笑《え》みがひろがった。

今日《きょう》はリップグロスだけでなく、母親《ははおや》がたまに使《つか》っているローズの香《かお》りの香水《こうすい》もつけてきたのだ。

「かわいいでしょ♡　香水《こうすい》もつけてるよ♡」

「おいおい。ほどほどにしとけよー？」

「へへっ」

「早《はや》く教室《きょうしつ》に行《い》かないと、朝《あさ》の会《かい》が始《はじ》まるぞ」

「わかってるよー。先生《せんせい》、またねっ」

そう言《い》って手《て》を振《ふ》り、立《た》ち去《さ》ろうとしたときだった。

（あれ？　誰《だれ》かが見《み》てる？）

春希《はるき》は視線《しせん》を感《かん》じて、あたりを見《み》まわした。

誰《だれ》もいない。視界《しかい》のなかにあるのは、人間《にんげん》のように見《み》える壁《かべ》のシミだけだ。

（……………おかしいな。このシミ、なんかひろがってない？）

昨日《きのう》は春希《はるき》の背《せ》の高《たか》さくらいまでだったはず。

しかし今日《きょう》は、もっと上《うえ》までのびている。

それに、昨日《きのう》は短《みじか》いスカートをはいた少女《しょうじょ》のような形《かたち》だったのに、今日《きょう》はすらりとした大人《おとな》の女《おんな》の人《ひと》に見《み》えた。

髪《かみ》のような部分《ぶぶん》まで、昨日《きのう》より長《なが》くなっていた。

(胸《むね》とかも大《おお》きいし、シミのくせにセクシーさだしちゃって、なんかキモい)

春希《はるき》はシミをするどくにらみつけて、教室《きょうしつ》へ歩《ある》いていった。


その日《ひ》の放課後《ほうかご》だった。

『下校時刻《げこうじこく》をすぎました。みなさん、すみやかに下校《げこう》しましょう――』

春希《はるき》は誰《だれ》もいない教室《きょうしつ》で、校舎内《こうしゃない》に流《なが》れるアナウンスを聞《き》いていた。

「そろそろかな」

席《せき》から立《た》ちあがり、扉《とびら》を開《あ》けて外《そと》をのぞく。ろうかにも人《ひと》かげはなかった。

「ふっふっふ。みんな帰《かえ》ったね」

春希《はるき》は人気《ひとけ》のないろうかにでて、一階《いっかい》につづく階段《かいだん》をおりた。

「犬塚先生《いぬづかせんせい》とふたりで帰《かえ》るチャーンス♡」

先生《せんせい》は、専用《せんよう》の職員用玄関《しょくいんようげんかん》を使《つか》う。職員用玄関《しょくいんようげんかん》は、あのシミのあるろうかをもっと北《きた》にすすんだところにあった。

しんと静《しず》まりかえった階段《かいだん》に、春希《はるき》の足音《あしおと》がトントントンとひびく。

おりきって職員用玄関《しょくいんようげんかん》のほうを見《み》やると、ろうかにぽつんと人《ひと》かげがある。

犬塚先生《いぬづかせんせい》が、あのシミの前《まえ》に立《た》っていた。

先生《せんせい》はじっと動《うご》かず、食《く》い入《い》るように壁《かべ》をみつめていた。

(お、また壁《かべ》のシミ見《み》てる)

「先生《せんせい》、いっしょに帰《かえ》ろう!」

春希《はるき》は近《ちか》づいていって声《こえ》をかけたが、先生《せんせい》は春希《はるき》を見《み》ようともせずに、ぼんやり答《こた》えた。

「……………ああ、春希《はるき》か」

「もうお仕事終《しごとお》わったんでしょ? 帰《かえ》ろ?」

犬塚先生《いぬづかせんせい》は、だまってシミをみつめつづけていた。

「せんせ――――」

「なぁ、春希《はるき》。この人《ひと》、きれいだと思《おも》わないか?」

「え?」

春希《はるき》の顔《かお》が、笑顔《えがお》のままかたまった。

先生《せんせい》はシミにくぎづけで、目《め》をはなそうとしない。

「スタイルもいいし、指《ゆび》がほそくて長《なが》いし、俺好《おれごの》みなんだよなぁ………」

(………なに言《い》ってんの)

犬塚先生《いぬづかせんせい》はいつもみんなの前《まえ》で、自分《じぶん》のことを「僕《ぼく》」や「先生《せんせい》」と呼《よ》ぶ。なのに、いまは「俺《おれ》」と言《い》った。

学校《がっこう》の先生《せんせい》であることを忘《わす》れて、ひとりの男《おとこ》の人《ひと》になってしまったようだった。

しかも、春希《はるき》にはこのシミのことを少《すこ》しも「きれい」とは思《おも》えなかった。たしかに女性《じょせい》のシルエットには見《み》える。でも、ほそくて長《なが》い指《ゆび》なんて、どこにも見《み》えない。

春希《はるき》は、となりに立《た》っている犬塚先生《いぬづかせんせい》を見《み》あげた。

(なんか、こわいんだけど………)

このシミにとりつかれてしまったような先生《せんせい》が、とても心配《しんぱい》になった。

「か、帰《かえ》ろうよっ」

春希《はるき》は大声《おおごえ》をあげた。

「ね、先生《せんせい》！　帰《かえ》ろう！」

犬塚先生《いぬづかせんせい》は、シミに顔《かお》をむけたまま、ちらりと視線《しせん》だけで春希《はるき》を見《み》おろした。しかしますぐにシミに視線《しせん》を戻《もど》してしまう。

「ひとりで帰《かえ》りなさい」

冷《つめ》たい返事《へんじ》をされて、春希《はるき》はきゅっと口《くち》を結《むす》んだ。

(なんなの、もう!!)

春希《はるき》はふてくされて、昇降口《しょうこうぐち》をかけだしていった。校門《こうもん》をでると、ずんずんと大股《おおまた》で通《つう》学路《がくろ》を歩《ある》く。

「どうしちゃったの、先生《せんせい》………」

昨日《きのう》まであんなにやさしかったのに、今朝《けさ》から様子《ようす》がおかしい。

いや、もしかしたら昨日《きのう》からおかしかったのかもしれない。ただのシミなのに、まるで人間《にんげん》のように頭《あたま》をなでていたのだから――。

(なんなの、あのシミ………)

夕方《ゆうがた》の少《すこ》し涼《すず》しい風《かぜ》が吹《ふ》いてきて、春希《はるき》は立《た》ちどまった。

「そうだ」

春希《はるき》の頭《あたま》のなかに、あるアイデアが浮《う》かんだ。
(明日《あした》学校《がっこう》に行《い》ったら、ぜったいにやってやる！)

次《つぎ》の日《ひ》、春希《はるき》はいつもより早《はや》めに登校《とうこう》した。
教室《きょうしつ》にランドセルをおくと、一階《いっかい》のろうかにむかった。
掃除用具入《そうじようぐい》れからモップをとりだし、水《みず》を入《い》れたバケツも用意《ようい》する。
そして、あのシミの前《まえ》に仁王立《におうだ》ちになった。
「こんな汚《よご》れ、消《け》しちゃえ！」
モップでシミをこすろうとした春希《はるき》は、おどろいて手《て》をとめた。
シミの形《かたち》がまた変《か》わっている。
「これって………」
女《おんな》のシルエットのようなシミの、ちょうど腹《はら》のあたりが大《おお》きくふくれていた。
妊婦《にんぷ》のように見《み》える。
しかもシミは、少《すこ》しうつむき、手《て》のひらをあてた自分《じぶん》の腹《はら》を愛《いと》おしそうにみつめているのだ。

「いやいやいやいや……………んなわけないでしょ!!」

少女《しょうじょ》の形《かたち》に見《み》えたシミが、一日《にち》で大人《おとな》の女《おんな》の姿《すがた》になり、その次《つぎ》の日《ひ》には妊婦《にんぷ》のように変《か》わる――――そんなことがあるはずない。

春希《はるき》はぬらしたモップをべちゃっとシミにくっつけ、ごしごしこすった。

「気持《きも》ち悪《わる》いシミ!!」

「消《き》えてよっ!」

すると、うつむいていたシミの顔《かお》が、素早《すばや》い動《うご》きでこちらをむいた。

(動《うご》いた…………!?)

春希《はるき》は思《おも》わずモップを落《お》とし、尻《しり》もちをついた。

女《おんな》の空洞《くうどう》のような目《め》が、春希《はるき》を見《み》おろしている。

(これは………)

シミは、いまやはっきりと妊婦《にんぷ》の姿《すがた》になっていた。

シミの表面《ひょうめん》が、でたりへこんだりして、うごめいている。壁《かべ》の奥《おく》でなにかが動《うご》いているように見《み》えた。

春希《はるき》の体《からだ》はガタガタと震《ふる》えはじめ、手《て》にも足《あし》にも力《ちから》が入《はい》らない。

「い…………いやっ!!」

やっとのことで立《た》ちあがると、春希《はるき》はモップとバケツをその場《ば》に残《のこ》して、ふらふらと保《ほ》健室《けんしつ》にむかった。


春希《はるき》が目《め》を覚《さ》ますと、保健室《ほけんしつ》のベッドの上《うえ》だった。

壁《かべ》にかかっている時計《とけい》の針《はり》は、午前十時《ごぜんじゅうじ》すぎを指《さ》している。

(私《わたし》、二時間《じかん》も眠《ねむ》ってたんだ…………)

そのとき、ベッドをかこむ白《しろ》いカーテンが開《あ》いて、養護《ようご》の先生《せんせい》が顔《かお》をのぞかせた。

「増田《ますだ》さん、大丈夫《だいじょうぶ》？　震《ふる》えはおさまった？　もう授業始《じゅぎょうはじ》まってるわよ」

「…………はい」

そう答《こた》えたものの、まだめまいがする。春希《はるき》はクロスした両腕《りょううで》で顔《かお》をおおった。

「もう少《すこ》し寝《ね》ててもいいですか」

「いいわよ。先生《せんせい》、職員室《しょくいんしつ》に用事《ようじ》があるから、少《すこ》しここを留守《るす》にするわね」

「はい」

養護《ようご》の先生《せんせい》が保健室《ほけんしつ》をでていくと、校庭《こうてい》から子《こ》どもたちの走《はし》る足音《あしおと》や、ホイッスルを鳴《な》らす音《おと》が聞《き》こえてきた。どこかのクラスが体育《たいいく》の授業《じゅぎょう》をしているのだろう。

（なんだったんだろう、あのシミ）

春希《はるき》はベッドに横《よこ》たわったまま、大《おお》きく息《いき》をはいた。

ふいに、犬塚先生《いぬづかせんせい》が言《い》っていた言葉《ことば》が、脳裏《のうり》に浮《う》かぶ。

――このシミは、誰《だれ》をひきずりこもうか、壁《かべ》のなかからじっと選《えら》んでるってウワサだぞ。

（もしかして、先生《せんせい》のことを………）

シミは犬塚先生《いぬづかせんせい》を選《えら》んだのかもしれない。先生《せんせい》の好《この》みの女《おんな》の姿《すがた》になり、壁《かべ》のなかにたたずんで、先生《せんせい》をひきずりこもうとねらっているのだ。

だとしたら――。

「助《たす》けなきゃ」

春希《はるき》はむくりと起《お》きあがった。

まだ頭《あたま》はくらくらするが、事態《じたい》は一刻《いっこく》を争《あらそ》う。早《はや》くあそこに戻《もど》って、シミを消《け》さなくてはいけない。

やっとのことでベッドからおり、よろけそうになりながら、あのろうかにむかった。

昇降口《しょうこうぐち》まで来《く》ると、暗《くら》いろうかから、誰《だれ》かの声《こえ》が聞《き》こえてきた。

「――体調《たいちょう》は大丈夫《だいじょうぶ》か？」

犬塚先生《いぬづかせんせい》の声《こえ》だった。

(もしかして、私《わたし》のこと心配《しんぱい》してくれてる？)

春希《はるき》は、顔《かお》をほころばせながら、ろうかをすすむ。

「無理《むり》してないか？」

しかし、犬塚先生《いぬづかせんせい》の姿《すがた》を見《み》て、恐怖《きょうふ》に心臓《しんぞう》がはねあがった。

先生《せんせい》が壁《かべ》に体《からだ》を寄《よ》せ、恍惚《こうこつ》とした表情《ひょうじょう》で、シミの女《おんな》に頬《ほお》ずりしているのだ。

「せ……先生《せんせい》………」

春希《はるき》がかすれた声《こえ》をあげると、犬塚先生《いぬづかせんせい》は愛《いと》しげに額《ひたい》を壁《かべ》につけて答《こた》えた。

「ああ、おまえか」

そして、ぼそりと言《い》った。

「先生《せんせい》、遠《とお》いところへ行《い》くんだ。元気《げんき》でな………」

「と、遠《とお》いところって……なに言《い》ってんの。そんなシミにひっついて………」

そのときだった。

壁《かべ》に頬《ほお》ずりしていた犬塚先生《いぬづかせんせい》の首《くび》に、ふたつの小《ち》さな黒《くろ》い手《て》がからみついた。

よく見《み》れば、黒《くろ》い手《て》は壁《かべ》から生《は》えている。

「ぱぱぁ」

壁《かべ》のむこうから声《こえ》が聞《き》こえてきた。小《ち》さな子《こ》どもが父親《ちちおや》を呼《よ》ぶ声《こえ》だ。

春希《はるき》は息《いき》をのんだ。このままでは、壁《かべ》のなかにひきずりこまれてしまう。

「ダメえっ!!」

犬塚先生《いぬづかせんせい》にかけ寄《よ》り、奪《うば》いかえすように背中《せなか》から抱《だ》きつく。

「先生《せんせい》！　そいつは女《おんな》でもなんでもない、ただのシミだよ。けっ、結婚《けっこん》なんて、できるわけがない」

春希《はるき》の頬《ほお》を涙《なみだ》が伝《つた》う。こんなシミに負《ま》けるわけにはいかなかった。

「私《わたし》を見《み》て………」

先生《せんせい》を抱《だ》きしめた腕《うで》に、さらに力《ちから》を入《い》れる。

「私《わたし》、小学生《しょうがくせい》だけど、ちゃんと女《おんな》だもん………そのうち先生《せんせい》と結婚《けっこん》できるもんっ」

壁《かべ》のシミにむけられていた犬塚先生《いぬづかせんせい》の顔《かお》が、少《すこ》しだけ動《うご》いた。

「春希《はるき》………」

(先生《せんせい》！　やっとわかってくれたの!?)

春希《はるき》はほっとして笑《わら》いかけようとしたが、次《つぎ》の瞬間《しゅんかん》に全身《ぜんしん》がこおりついた。

春希《はるき》を見《み》おろした犬塚先生《いぬづかせんせい》の表情《ひょうじょう》は、ひどく迷惑《めいわく》そうだったのだ。

「なに言《い》ってるんだ、おまえ。子《こ》どものくせに」

「え………？」

「帰《かえ》って勉強《べんきょう》しろ」

先生《せんせい》は、さげすむような声《こえ》でそう言《い》った。

「犬《いぬ》……塚《づか》……先生《せんせい》……」

犬塚先生《いぬづかせんせい》を抱《だ》きしめていた春希《はるき》の腕《うで》が、力《ちから》を失《うしな》ってゆっくりとはずれる。

かわりに、壁《かべ》からのびてきた黒《くろ》い腕《うで》が、先生《せんせい》の体《からだ》を包《つつ》みこんだ。

壁《かべ》のシミは、だんだんと輪郭《りんかく》がくっきり浮《う》きだし、まるでそこに本物《ほんもの》の女《おんな》がいるかのようにはっきりと見《み》えるようになった。

長《なが》い髪《かみ》。

ほそくてきれいな指《ゆび》。

しかし瞳《ひとみ》はうつろで、口《くち》は傷口《きずぐち》のようにまっすぐ横《よこ》にのびている。

壁《かべ》の女《おんな》は、ズズズと地鳴《じな》りのような音《おと》をたてながら大《おお》きくなっていき、だんだんと壁《かべ》からせりだしてきた。

春希《はるき》の記憶《きおく》は、そこでぷっつりととぎれ、気《き》づくと、また保健室《ほけんしつ》のベッドに寝《ね》ていた。

聞《き》けば、一階《いっかい》のろうかで倒《たお》れていたところを、養護《ようご》の先生《せんせい》にみつけられたそうだ。

犬塚先生《いぬづかせんせい》はその日《ひ》を最後《さいご》に、行方《ゆくえ》がわからなくなってしまった。

学校《がっこう》ではしばらく、先生《せんせい》のウワサでもちきりだった。

「先生《せんせい》、どこに行《い》っちゃったんだろうね」

「やめたんじゃないの？」

「失踪《しっそう》したって聞《き》いたけど」

「あ、そういえば一階《いっかい》の壁《かべ》、今週《こんしゅう》、ぬりかえられるらしいよ」

ぬりかえ予定《よてい》のその壁《かべ》には、奇妙《きみょう》なシミがある。

シミは、三人《にん》の人間《にんげん》の姿《すがた》のようにも見《み》えた。

髪《かみ》の長《なが》い女《おんな》と、小《ちい》さな女《おんな》の子《こ》、そして首《くび》からネームホルダーをさげた男《おとこ》の姿《すがた》だ。

三人《にん》は仲《なか》むつまじく手《て》をつなぎ、幸《しあわ》せな親子《おやこ》のように見《み》える。

春希《はるき》は、ぼんやりとろうかに立《た》ち、そのシミをみつめた。

そして、涙《なみだ》をひとつぶ流《なが》した。

「さようなら………」

それから十五年後《じゅうごねんご》。

春希《はるき》は結婚《けっこん》し、母親《ははおや》になって、実家《じっか》の近《ちか》くに住《す》んでいた。

息子《むすこ》の和希《かずき》は小学校《しょうがっこう》一年生《ねんせい》。春希《はるき》が通《かよ》っていたのと同《おな》じ小学校《しょうがっこう》に通《かよ》っている。

「僕《ぼく》、友《とも》だちたくさんできるかなあ」

初《はじ》めて登校《とうこう》する日《ひ》、和希《かずき》はつきそいで学校《がっこう》までいっしょに来《き》た春希《はるき》を、不安《ふあん》そうに見《み》あげた。ものおじしない春希《はるき》とちがって、和希《かずき》は人見知《ひとみし》りなのだ。

「大丈夫《だいじょうぶ》だよ、和希《かずき》なら」

「そっか」

「がんばってね」

「うん」

和希《かずき》は靴箱《くつばこ》の前《まえ》で上履《うわば》きにはきかえ、手《て》を振《ふ》ってろうかを歩《ある》いていった。教室《きょうしつ》は昇降口《しょうこうぐち》を入《はい》って、ろうかを北側《きたがわ》にすすんだところにある。

和希《かずき》は、ふと誰《だれ》かに見《み》られているような気《き》がして、足《あし》をとめた。

横《よこ》をむくと、壁《かべ》に黒《くろ》いシミがある。

よく見《み》るとそれは、髪《かみ》をふたつに結《むす》んだ女《おんな》の子《こ》のような形《かたち》をしていた。

女《おんな》の子《こ》の形《かたち》をしたシミの横《よこ》には、まるで我《わ》が子《こ》を見守《みまも》るように、女《おんな》と男《おとこ》の姿《すがた》をしたシミがあった。

（変《へん》なシミだなあ………）

和希《かずき》は、女《おんな》の子《こ》の形《かたち》をしたシミを、じっとみつめた。

シミもみつめかえし、和希《かずき》にやさしく微笑《ほほえ》みかけた。

エピローグ

百二十一時間目《ひゃくにじゅういちじかんめ》の授業《じゅぎょう》を終了《しゅうりょう》します。

みなさんにもありませんか？

壁《かべ》のシミが人間《にんげん》のように見《み》えたり、板《いた》の木目《もくめ》が顔《かお》のように見《み》えたりすることが。

それがただの錯覚《さっかく》ならいいのですが、たまに今回《こんかい》のようなこともあるみたいです。

壁《かべ》のシミと結《むす》ばれてしまった先生《せんせい》。

あのシミは、先生《せんせい》が小《ちい》さいころから、ずっと先生《せんせい》のことだけを見《み》ていたのかもしれません。

長《なが》い長《なが》い片思《かたおも》いが実《みの》ったとき、先生《せんせい》の姿《すがた》は消《き》えてしまいました。

そして十五年《じゅうごねん》がたち、また新《あたら》しい恋《こい》の予感《よかん》が。

みなさんの学校《がっこう》の壁《かべ》にも、奇妙《きみょう》なシミがあるのでは？

そのシミが気《き》になってしかたがない、こわいのについつい見《み》に行《い》ってしまう………と
いう人《ひと》は注意《ちゅうい》してくださいね。
シミに片思《かたおも》いされているのかもしれませんよ。
気《き》に入《い》られてしまったら、もう逃《に》げられません。
行《い》きつく先《さき》は、ここは別《べつ》の、恐怖《きょうふ》の世界《せかい》です。

絶叫学級《ぜっきょうがっきゅう》

122時間目《じかんめ》

悪《あく》魔《ま》になった日《ひ》

プロローグ

こんにちは。
百《ひゃく》二《に》十《じゅう》二《に》時《じ》間《かん》目《め》を
はじめます。
今回《こんかい》もとびっきりの恐怖《きょうふ》を
用意《ようい》しましたよ。
さて、出席《しゅっせき》をとりましょう。
えっ？　この黒《くろ》い表紙《ひょうし》の
生徒名簿《せいとめいぼ》が気《き》になりますか？
じつはこの名簿《めいぼ》には、授業《じゅぎょう》に出席《しゅっせき》しているみなさんの名前《なまえ》は書《か》かれていません。
この名簿《めいぼ》には、ある特別《とくべつ》な使《つか》いみちがあるのです。

どんな使《つか》いみちか、ですって？
それはまだ秘密《ひみつ》です。
名簿《めいぼ》を上手《じょうず》に使《つか》えるかどうかは、みなさん次第《しだい》。
どうやら今回《こんかい》のお話《はなし》の主人公《しゅじんこう》たちも、名簿《めいぼ》のウワサを聞《き》きつけたようですよ。
さて、幸《しあわ》せになるでしょうか、不幸《ふしあわ》せになるでしょうか。
ふふ……………楽《たの》しみですね。
私《わたし》といっしょに、彼女《かのじょ》たちの行《ゆ》く末《すえ》を見《み》てみましょう。

その日《ひ》は、突然《とつぜん》やってきた。

荒樹《あらき》加奈《かな》が、悪魔《あくま》になった日《ひ》だ。


校庭《こうてい》に、セミの鳴《な》き声《ごえ》と、夏服《なつふく》の生徒《せいと》たちが「おはよう」とあいさつする声《こえ》がひびく。

七月《がつ》の気温《きおん》は高《たか》く、朝《あさ》だというのに歩《ある》いているだけで汗《あせ》が流《なが》れた。

中学《ちゅうがく》一年生《ねんせい》の加奈《かな》は、暑《あつ》いなかでも元気《げんき》いっぱい。今日《きょう》も親友《しんゆう》の花取《かとり》エリカといっしょに、校舎《こうしゃ》へつづく道《みち》を歩《ある》いていた。

「ねー、エリカ。旧校舎《きゅうこうしゃ》のユーレイのウワサ、知《し》ってる?」

加奈《かな》が言《い》った。ショートボブで、大《おお》きな目《め》がくるくるとよく動《うご》く加奈《かな》は、子《こ》どもっぽくてあまえんぼう。

「ウワサ？」

エリカが顔《かお》をしかめた。長《なが》めの前髪《まえがみ》をさらりと横《よこ》に流《なが》し、おちついた声《こえ》で話《はな》すエリカは、加奈《かな》よりも大人《おとな》っぽい。

ふたりがならんで歩《ある》いていると、まるで姉妹《しまい》のようだった。

「あのね、二階《かい》の教室《きょうしつ》にある生徒名簿《せいとめいぼ》に、自分《じぶん》の名前《なまえ》を書《か》いて、願《ねが》い事《ごと》をすると、願《ねが》いを叶《かな》えてくれるんだって」

「なにそれ。超《ちょう》うそくさっ」

「えー。けっこう本当《ほんとう》らしいよ」

「私《わたし》、そういうオカルト、信《しん》じないし」

「今度試《こんどため》してみよーよ、エリカ」

「加奈《かな》ひとりで行《い》ってきな」

ちっとものってこないエリカをみつめて、加奈《かな》はククと笑《わら》った。

「あっ、こわいんでしょー。エリカ、けっこうビビリだからね」

「誰《だれ》がビビリよっ！」

エリカが頬《ほお》をふくらませ、加奈《かな》は大笑《おおわら》いした。

「あっはははは！」

加奈《かな》のカバンについた、クマのマスコットも楽《たの》しそうにゆれた。クマはT《ティー》シャツを着《き》ていて、とぼけたかわいい顔《かお》をしていた。

エリカのカバンにも同《おな》じマスコットがついている。中学《ちゅうがく》に入学《にゅうがく》する前《まえ》、ふたりがカバンといっしょに買《か》ったものだ。

（エリカとは、小学生《しょうがくせい》のころから、なんでもかんでもおそろいにするほど、大《だい》の仲良《なかよ》しだもんねっ）

加奈《かな》はマスコットのクマをみつめながら、それを買《か》ったときのことを思《おも》いだした。

春休《はるやす》みのある日《ひ》、ふたりはショッピングモールのバッグ売《う》り場《ば》に行《い》った。ちょうどいいデザインのスクールバッグをみつけると、ふたりして手《て》にとる。

「中学《ちゅうがく》のカバン、これにしよー。おそろい！」

加奈《かな》がそう言《い》うと、エリカも賛成《さんせい》した。

「いいねー」

「うちの中学《ちゅうがく》、カバンは自由《じゆう》ってのがいいよね♪」

加奈《かな》は、売《う》り場《ば》のフックにかけられていたボールチェーンつきの動物《どうぶつ》マスコットを指《ゆび》さした。

「ねーねー、エリカ。マスコットもおそろいにしよーよ」

「かわいー」

エリカは、たくさんならんでいるマスコットに見入《みい》った。クマやウサギ、猫《ねこ》などいろいろな種類《しゅるい》があって、ひとつを選《えら》ぶのがむずかしい。

「クマもかわいいし、ウサギもかわいいし……悩《なや》むなぁ。加奈《かな》はどれがいい？」

「う〜ん。今日《きょう》は一個《いっこ》買《か》って、また別《べつ》のがほしくなったら買《か》いに来《く》るってのは？」

「そうだね。じゃあ……このT《ティー》シャツ着《き》てるクマはどう？」

「あ、私《わたし》もそれかわいいって思《おも》った！」

「じゃあ、これにしよ」

エリカはクマのマスコットをふたつ、フックからはずして微笑《ほほえ》んだ。

「楽《たの》しみだね、中学《ちゅうがく》」

「うん、楽《たの》しみ！」

マスコットを買《か》った日《ひ》のことを思《おも》いだしていた加奈《かな》は、となりを歩《ある》くエリカに声《こえ》をかけられて、はっと我《われ》に返《かえ》った。

「ほらっ、早《はや》く行《い》くよ、加奈《かな》」

「ん？」

「教室《きょうしつ》に行《い》くよ。私《わたし》、日直《にっちょく》なんだってば」

「あ、そうだった！」

歩《ある》くペースを速《はや》めながら、加奈《かな》は思《おも》った。

（私《わたし》、エリカと友《とも》だちでよかったな。私《わたし》たちは大《だい》の仲良《なかよ》しで、これからもずっとそう…………）

四時間目《じかんめ》は体育《たいいく》。プールの授業《じゅぎょう》だったが、エリカが休《やす》むと聞《き》いて、加奈《かな》も休《やす》むことにした。

更衣室《こういしつ》で、水着《みずぎ》ではなく体操着《たいそうぎ》に着《き》がえていると、エリカが言《い》った。

「あれっ、加奈《かな》もプール休《やす》むの？」

「うん。おなか痛《いた》くてー」

（なんて………本当《ほんとう》は、エリカいないとつまんないし）

おなかが痛《いた》いというのはうそ。親友《しんゆう》のエリカもいないのに、プールの授業《じゅぎょう》にでたくなかったのだ。

「大丈夫《だいじょうぶ》？」

「う、うん！　ぜんぜん元気《げんき》！」

（まあ、本当《ほんとう》はずる休《やす》みなんだけど）

水泳《すいえい》をしない生徒《せいと》は、かわりにバレーボールの練習《れんしゅう》をすることになっている。着《き》がえ終《お》わったふたりは、体育館《たいいくかん》にむかった。

「んじゃ加奈《かな》、バレーのペア、組《く》もーぜい」

「うんっ」

ふたりはちょうどいい距離《きょり》まではなれて、早速《さっそく》パス練習《れんしゅう》をはじめた。エリカのあげたトスが、ぽーんと天井近《てんじょうちか》くまであがり、落《お》ちてくる。

「ちょっと高《たか》いよー」

「あはは、ごめ～ん」

しばらく練習《れんしゅう》をしていると、少《すこ》しはなれた場所《ばしょ》から、大《おお》きな笑《わら》い声《ごえ》が聞《き》こえてきた。

「ぎゃははは」

「んだそれーっ」

加奈《かな》は、声《こえ》のするほうに顔《かお》をむけた。

体育館《たいいくかん》のすみで、塚本実々《つかもとみみ》と赤井近代《あかいちかよ》が床《ゆか》に座《すわ》りこんでおしゃべりをしている。

「知《し》ってた？　三年《ねん》にちょーかっこいい先輩《せんぱい》がいるんだって」

「知《し》ってるし。それってバスケ部《ぶ》じゃね？」

「ちがうって。帰宅部《きたくぶ》」

「え、マジで？　帰宅部《きたくぶ》のほうは知《し》らないや」

(すごい。堂々《どうどう》とサボってる)

加奈《かな》は、大騒《おおさわ》ぎしている実々《みみ》と近代《ちかよ》をちらちらと見《み》やった。ふたりはクラスの中心的《ちゅうしんてき》な存在《そんざい》で、さからえない雰囲気《ふんいき》をかもしだしていた。

（塚本《つかもと》さんたちとは、あんま話《はな》したことないや………）

すると、近《ちか》づいてきたエリカが、加奈《かな》にそっと耳《みみ》うちした。

「あんま見《み》ないほうがいいよ。あの子《こ》たち、ガラよくないから」

「え？　そーなの？」

「うん。塚本《つかもと》は塾《じゅく》がいっしょだったから」

「エリカがそう言《い》うなら、あんまり近《ちか》づかないようにしよっと。ありがと」

（ふうん………ガラが悪《わる》い………）

加奈《かな》がまたちらりと見《み》ると、実々《みみ》と目《め》が合《あ》ってしまった。実々《みみ》は近代《ちかよ》と目《め》くばせし、加《か》奈《な》をバカにするようにけらけらと笑《わら》った。

（なんかいやな感《かん》じ………）

加奈《かな》がまゆ根《ね》を寄《よ》せると、エリカが言《い》った。

「気《き》にしないほうがいいよ。それより、バレーの練習《れんしゅう》、やろ」

「そうだね」

こうして何事《なにごと》もなく体育《たいいく》の授業《じゅぎょう》は終《お》わった。

ところが、その放課後《ほうかご》のことだった。

「エリカー、いっしょに帰《かえ》ろ」

加奈《かな》がカバンを持《も》ってエリカの席《せき》に行《い》くと、エリカはホームルームでみんなから集《あつ》めたプリントをまとめていた。

「ごめん。私《わたし》、残《のこ》らなくちゃいけなくて」

「え。いっしょに帰《かえ》れないの？」

「そ〜。なんか日直《にっちょく》だから手伝《てつだ》えって。このプリント、職員室《しょくいんしつ》に持《も》ってかなきゃ」

エリカは立《た》ちあがり、プリントの仕分《しわ》けをはじめた。

「けっこう時間《じかん》かかりそうだから、加奈《かな》は先《さき》に帰《かえ》ってて」

「……………うん」

加奈《かな》はしょんぼりと答《こた》えた。

（なんだ、残念《ざんねん》。帰《かえ》りに新《あたら》しくできた雑貨屋《ざっかや》さんを見《み》ようって、朝《あさ》は話《はな》してたのに）

すると、エリカがニヤニヤしながら加奈《かな》の腕《うで》をつっついた。

「んもー。そんなにがっかりして、あんたどんだけ私《わたし》が好《す》きなの」

「はあ!?　なに言《い》ってんだ」

好《す》きなことはたしかだが、はっきり言《い》われると、てれくさい。

加奈《かな》がむくれていると、エリカは口角《こうかく》をきゅっとあげて、ピースサインをした。

「じゃあ明日《あした》さ、部活《ぶかつ》ないし、カバンにつけるマスコット買《か》いに行《い》かない？　ふたつめ、買《か》おうよ！」

ピースサインかと思《おも》ったのは、「ふたつ」という意味《いみ》だ。

加奈《かな》はぱっと目《め》を輝《かがや》かせ、エリカと同《おな》じように指《ゆび》を二本立《ほんた》てて「ふたつ」をつくる。

「うんっ」

窓《まど》の外《そと》は晴《は》れていて、セミの鳴《な》く声《こえ》が聞《き》こえてくる。

「明日《あした》もお天気《てんき》だといいね」

「そうだね。じゃ、私《わたし》、先《さき》に帰《かえ》るね」

「また明日《あした》ね、加奈《かな》」

「明日《あした》ね！」

ふたりは手《て》を振《ふ》りあい、加奈《かな》は一年《ねん》二組《くみ》の教室《きょうしつ》をでていった。

カバンにつけたクマのマスコットが、歩《ある》くたびにゆれる。加奈《かな》はふふっと笑《わら》った。

（たしかに、こいつひとりじゃさびしいよね）

次《つぎ》に買《か》うのは、エリカが最後《さいご》まで迷《まよ》っていた、ウサギのマスコットがいいかもしれない。

（ウサギもかわいかったもんな。それに売《う》り場《ば》でも、クマとウサギはいっしょのフックにかかってて、仲良《なかよ》さそうに見《み》えたし――）

加奈《かな》が笑顔《えがお》のまま視線《しせん》をあげると、前《まえ》を歩《ある》いていたふたりの女子《じょし》が振《ふ》りかえった。

体育《たいいく》の授業《じゅぎょう》でずっとおしゃべりをしていた、実々《みみ》と近代《ちかよ》だ。

（塚本《つかもと》さんたちだ………）

警戒《けいかい》した加奈《かな》は、びくっと身《み》をすくめた。

実々《みみ》が立《た》ちどまり、なれなれしく話《はな》しかけてくる。

「えーっと、名前《なまえ》なんだっけ………同《おな》じクラスの」

話《はな》しかけてきたわりに、加奈《かな》の名前《なまえ》を知《し》らなかった。最初《さいしょ》から加奈《かな》になんて関心《かんしん》がないのだろう。となりにいた近代《ちかよ》がつっこんだ。

「クラスの子《こ》の名前《なまえ》くらい覚《おぼ》えとけってー。荒樹《あらき》さんだよ」

「そーかっ。ははは」

ひとしきり笑《わら》った実々《みみ》は、値《ね》ぶみするように加奈《かな》を見《み》る。

「荒樹《あらき》さんて、エリカと仲《なか》いいんだよねーっ」

加奈《かな》は答《こた》えずに、あいまいな笑《え》みを浮《う》かべた。

すると、実々《みみ》が突然真顔《とつぜんまがお》になり、腕《うで》を組《く》んで加奈《かな》をにらんだ。

「あのさー、エリカ、うちらの悪口《わるくち》言《い》ってなかった？」

実々《みみ》と近代《ちかよ》につめよられ、加奈《かな》はおびえた。肩《かた》にかけたカバンの持《も》ち手《て》をにぎりしめて、首《くび》を横《よこ》に振《ふ》る。

「………いっ、言《い》ってないよ」

「ふーん。まあいいけどぉ」

実々《みみ》と近代《ちかよ》は、おどすようにニヤリとした。

「なんかエリカが調子《ちょうし》にのってたら、うちらに言《い》ってよ」

「呼《よ》びだしてやっからさー。あははは！」

（なんなの、この人《ひと》たち………）

エリカを悪《わる》く言《い》われていることがつらかった。怒《いか》りとくやしさで、加《か》奈《な》の心《しん》臓《ぞう》がどくんどくんと大《おお》きな音《おと》をたてはじめる。

実《み》々《み》がフンと鼻《はな》で笑《わら》った。

「エリカはいいやつのフリして、けっこー性《せい》格《かく》悪《わる》いから」

そのひと言《こと》を聞《き》いて、加《か》奈《な》はだまっていられなくなった。

「エリカのなにを知《し》ってんの!?」

思《おも》わずそう叫《さけ》ぶと、実《み》々《み》と近《ちか》代《よ》がきょとんとする。まさか加《か》奈《な》が言《い》いかえしてくるとは、思《おも》ってもいなかったようだ。

「エリカは、塚《つか》本《もと》さんが思《おも》ってるような子《こ》じゃないよ!!」

(言《い》っちゃった………)

実《み》々《み》と近《ちか》代《よ》はまだおどろいて、立《た》ちつくしている。

加《か》奈《な》はふたりの横《よこ》をすりぬけ、急《いそ》ぎ足《あし》でその場《ば》を立《た》ち去《さ》った。

(………どうしよう。明《あし》日《た》、呼《よ》びだされちゃったら………)

家《いえ》に帰《かえ》り、夕《ゆう》食《しょく》を食《た》べている間《あいだ》も、不《ふ》安《あん》は消《き》えなかった。

（う〜〜。そうだ、エリカに相談《そうだん》しよう）

「加奈《かな》、どうしたの？　具合《ぐあい》でも悪《わる》い？」

ふさぎこんでいる加奈《かな》を見《み》て、母親《ははおや》は心配《しんぱい》したらしく声《こえ》をかけてきたが、加奈《かな》は上《うわ》の空《そら》だ。

「えっ？　な、なんでもない、大丈夫《だいじょうぶ》………」

夕食《ゆうしょく》をすませ、お風呂《ふろ》をでてベッドに入《はい》ってからも、まだぐるぐると考《かんが》えていた。

（「ほっとけって言《い》ったのに！」ってエリカに怒《おこ》られそう）

明《あ》け方《がた》まで、うとうとしたり目《め》を覚《さ》ましたりしているうちに、次《つぎ》の朝《あさ》はすっかり寝《ね》すごしてしまった。

いつもより遅《おそ》い時間《じかん》に飛《と》びおきると、外《そと》は雨《あめ》が降《ふ》っていた。

まるで加奈《かな》の気持《きも》ちをあらわすかのようだ。

あわてて準備《じゅんび》をして家《いえ》をでたが、待《ま》ち合《あ》わせ場所《ばしょ》のベンチには、もうエリカはいなかった。

「そりゃそうだよね。こんな雨《あめ》だし」

大急《おおいそ》ぎで学校《がっこう》まで走《はし》り、教室《きょうしつ》に飛《と》びこむ。

「眠《ねむ》れなくて、遅刻《ちこく》しちゃった…………」

息《いき》をきらしながら教室《きょうしつ》を見《み》まわすと、エリカの姿《すがた》がない。

（…………て、あれ？　エリカ、まだ来《き》てない。先《さき》に着《つ》いてると思《おも》ったのに）

おかしいのは、それだけではなかった。

クラスのみんなの態度《たいど》がよそよそしい。

おまけに、机《つくえ》と椅子《いす》が一セット、床《ゆか》に倒《たお》されていた。机《つくえ》から飛《と》びだしたノートが何冊《なんさつ》か床《ゆか》の上《うえ》にちらばっている。

それをみつけた瞬間《しゅんかん》、加奈《かな》の全身《ぜんしん》がこわばった。

自分《じぶん》の机《つくえ》だったのだ。

（な、なにこれ。私《わたし》の机《つくえ》…………なんで…………）

クラスメイトたちは、机《つくえ》のことも加奈《かな》のことも無視《むし》していた。何事《なにごと》もなかったかのように、教室《きょうしつ》のあちこちでいつもどおりのおしゃべりをしたり、ふざけあったりしている。

加奈《かな》は倒《たお》された机《つくえ》に、ゆっくりと近《ちか》づいていった。

すると、教卓《きょうたく》のあるあたりから、クスクス笑《わら》う声《こえ》が聞《き》こえてくる。

「プッ。ほら」

「荒樹《あらき》のやつ、来《き》たよー」

加奈《かな》は顔《かお》をあげて、教卓《きょうたく》のまわりに集《あつ》まっている女子《じょし》たちを見《み》た。

(え…………?)

加奈《かな》の息《いき》がとまりそうになった。

なんと女子《じょし》たちの輪《わ》のなかに、エリカがいたのだ。

実々《みみ》が、集《あつ》まっている女子《じょし》たちに言《い》った。

「荒樹《あらき》に話《はな》しかけたやつは、もれなくシカトの刑《けい》だからねーっ」

教卓《きょうたく》の前《まえ》に立《た》った実々《みみ》は、まるで演説《えんぜつ》する独裁者《どくさいしゃ》のようだった。クラスじゅうが、またしのび笑《わら》いをする。

みんなのなかにまぎれて立《た》っていたエリカが、加奈《かな》を見《み》た。エリカは唇《くちびる》をまっすぐに結《むす》び、暗《くら》い瞳《め》で加奈《かな》を見《み》ている。

(うそ……エリカ……なんで……)

加奈《かな》はひとりぼっちになってしまった。

たった一日《にち》で、奈落《ならく》の底《そこ》につきおとされてしまったのだ。


「加奈《かな》っ」

名前《なまえ》を呼《よ》ばれて、加奈《かな》ははっと目《め》を覚《さ》ました。自分《じぶん》の部屋《へや》のベッドの上《うえ》だ。

起《お》こしにきた母親《ははおや》が、さっとカーテンを開《あ》ける。外《そと》は今日《きょう》も雨《あめ》だった。

「おはよー。どうしたの？　うなされてたよ。変《へん》な夢《ゆめ》でも見《み》たの？」

（……………夢《ゆめ》？）

昨日《きのう》の出来事《できごと》が、ぜんぶ夢《ゆめ》だったらいいのにと、加奈《かな》は思《おも》った。

実々《みみ》たちに目《め》をつけられたことも、クラス全員《ぜんいん》に無視《むし》されたことも、持《も》ち物《もの》に落書《らくが》きされたことも、エリカが口《くち》をきいてくれなくなったことも。

（みんなみんな、夢《ゆめ》だったらいいのに――――）

加奈《かな》は重《おも》い体《からだ》を起《お》こして立《た》ちあがり、のろのろと支度《したく》をした。

玄関《げんかん》をでると、ぼんやりと傘《かさ》を差《さ》し、エリカと待《ま》ち合《あ》わせに使《つか》っていたベンチに行《い》った。

そこに、エリカの姿《すがた》はない。

(いつもの待ち合《あ》わせ場所《ばしょ》にいない。夢《ゆめ》なんかじゃない)

加奈《かな》は雨《あめ》のなか、とぼとぼ歩《ある》いて学校《がっこう》へむかった。

教室《きょうしつ》に入《はい》っていっても、誰《だれ》もあいさつをしてくれない。みんな、加奈《かな》を横目《よこめ》にこそこそと話《はな》し、時々笑《ときどきわら》う。

加奈《かな》は自分《じぶん》の席《せき》についた。昨日《きのう》、机《つくえ》のなかに入《い》れて帰《かえ》った教科書《きょうかしょ》をだすと、ペンで「ブスブスブス」と真《ま》っ黒《くろ》くなるほど落書《らくが》きがされていた。

(夢《ゆめ》なんかじゃない。現実《げんじつ》だ)

先《さき》に教室《きょうしつ》にいたエリカは、席《せき》に座《すわ》っていた。加奈《かな》の前《まえ》の席《せき》だ。

「エリカ……………」

小《ちい》さな声《こえ》で呼《よ》んでみたが、エリカは頰《ほお》づえをついたまま、振《ふ》りむきもしない。

一時間目《じかんめ》の英語《えいご》の授業《じゅぎょう》が始《はじ》まった。

(…………エリカ)

加奈《かな》は泣《な》きそうになり、両手《りょうて》でひろげていた教科書《きょうかしょ》に顔《かお》をうずめた。

（なんで……？　私《わたし》がなにかまちがえた？　なんで？　なんで!?）

考《かん》えてもぜんぜんわからない。

おとといまで、エリカとはふつうに会話《かいわ》ができた。体育《たいいく》の時間《じかん》にバレーボールの練習《れんしゅう》もしたし、ふたつめのマスコットを買《か》いに行《い》こうと約束《やくそく》もした。

（なのに、なんで!?）

「荒樹《あらき》さん、具合《ぐあい》でも悪《わる》いの？」

声《こえ》をかけられて加奈《かな》が顔《かお》をあげると、英語《えいご》の先生《せんせい》が席《せき》の近《ちか》くまで来《き》て立《た》っていた。

実々《みみ》たちに笑《わら》われているのが、加奈《かな》にはわかった。

（先生《せんせい》に言《い》ったって、きっとなにも解決《かいけつ》しない）

「………いえ」

加奈《かな》はうつむいたまま、そう答《こた》えた。

教室《きょうしつ》の移動《いどう》も、お昼休《ひるやす》みも、加奈《かな》はひとりぼっちだった。トイレに行《い》くのもひとり。

（きっと塚本《つかもと》さんたちがみんなに言《い》ったんだ。私《わたし》をシカトしようって。エリカもそれで私《わたし》のことを………）

放課後《ほうかご》にトイレに行《い》き、戻《もど》ってくると、加奈《かな》の机《つくえ》を三人《にん》の女子《じょし》がかこんでいた。実々《みみ》とは別《べつ》のグループの、おとなしめの女子《じょし》たちだ。

「あはは。ちょっとへたくそ」

「絵心《えごころ》ないなー」

「そう？　すごく似《に》てると思《おも》うけど？」

三人《にん》は黒《くろ》い油性《ゆせい》ペンを持《も》ち、机《つくえ》の上《うえ》になにかを描《か》いていた。教室《きょうしつ》に入《はい》ってきた加奈《かな》に気《き》づくと、ペンを持《も》つ手《て》をとめる。

「あっ、来《き》ちゃった」

「やばい」

「行《い》こっ」

三人《にん》は逃《に》げるように机《つくえ》からはなれていった。加奈《かな》がそっと近《ちか》づいて机《つくえ》を見《み》てみると、加《か》奈《な》と英語《えいご》の先生《せんせい》に似《に》せた絵《え》が描《か》かれている。

加奈《かな》らしき女《おんな》の子《こ》の絵《え》は、みっともなく泣《な》いていて、まわりに「ブス」「わたしかわいそうな女《おんな》です」「いじめられてるんです」となぐり書《が》きがしてあった。

先生《せんせい》の絵《え》は「あらまあ」とのんきに答《こた》えていた。

机《つくえ》を見《み》おろしていた加奈《かな》の手《て》が、悲《かな》しさで冷《つめ》たくなった。

（なんで塚本《つかもと》さんたちだけじゃなくて、みんなまで……）

ふと床《ゆか》を見《み》ると、加奈《かな》のカバンが、机《つくえ》の近《ちか》くに放《ほう》りなげられていた。カバンにも「バカ」「ブス」と落書《らくが》きしてある。

汚《よご》れたカバンをみつめていた加奈《かな》の顔《かお》が、さっと青《あお》ざめた。

「……………!!」

大事《だいじ》なクマのマスコットが、ボロボロにされていたのだ。

加奈《かな》はかがんで床《ゆか》にひざをつき、ボールチェーンをはずして、マスコットを手《て》のひらにのせた。

「ひどい……」

フェルトの表面《ひょうめん》は汚《よご》れ、首《くび》のあたりが切《き》れて綿《わた》が飛《と》びだしている。右脚《みぎあし》はちぎれてなくなっていた。

無残《むざん》な姿《すがた》のマスコットをなでると、指《ゆび》が震《ふる》えた。

ふいに人《ひと》の気配《けはい》がして、加奈《かな》は顔《かお》をあげた。

冷《つめ》たい表情《ひょうじょう》をしたエリカが、ゆっくりと近《ちか》づいてくる。

（エリカ……………）

エリカは手《て》にハサミを持《も》っていた。そのハサミで、マスコットのクマを切《き》ったのだ。

加奈《かな》は目《め》に涙《なみだ》をため、エリカに問《と》いかけた。

「…………なんで？　どうしちゃったの⁉」

（だってこれは、このカバンは――――）

ふたりで買《か》いに行《い》った、おそろいのカバンだ。マスコットも、ふたりでどれにしようかと迷《まよ》いながらきめたものだった。

（それを汚《よご》したり、切《き》ったりするなんて）

エリカは加奈《かな》を見《み》おろして言《い》った。

「…………しょうがないよ、学校《がっこう》って、こういうもんじゃん。ちょっとくらい耐《た》えたら？」

「なん…………で、そんなこと…………」

加奈《かな》は絶望《ぜつぼう》のあまり、カッと目《め》を見開《みひら》いた。

おとといのエリカは、ピースサインのように指《ゆび》を二本立《ほんた》てて、こう言《い》っていた。

――じゃあ明日《あした》さ、部活《ぶかつ》ないし、カバンにつけるマスコット買《か》いに行《い》かない？　ふたつめ、買《か》おうよ！

そのエリカといまのエリカは、まるで別人《べつじん》だ。

「なんでって………。あんたをかばって、私《わたし》までいじめられなきゃいけないっていうの？　そんなのばからしいよ」

エリカのひと言《こと》ひと言《こと》が、心《こころ》をえぐる。加奈《かな》の頭《あたま》のなかは、真《ま》っ白《しろ》になった。

すると、教室《きょうしつ》のベランダのほうから、実々《みみ》と近代《ちかよ》の声《こえ》がした。

「荒樹《あらき》さん、かわいそ〜〜」

「ウケるね」

実々《みみ》と近代《ちかよ》は、窓《まど》から身《み》をのりだして教室《きょうしつ》をのぞきこんでいた。ずっとベランダから加《か》奈《な》たちの様子《ようす》を見《み》ていたのだ。

エリカは、抑揚《よくよう》のない声《こえ》で言《い》った。

「耐《た》えられないなら、学校《がっこう》、来《こ》なきゃいいじゃん」

そして、ベランダから教室《きょうしつ》に入《はい》ってきた実々《みみ》たちのあとについて、ろうかへでていく。

去《さ》り際《ぎわ》に振《ふ》りかえり、冷《つめ》たく言《い》いはなった。

「……それか、あんたの好《す》きな旧校舎《きゅうこうしゃ》に行《い》って、ひとりでお願《ねが》いでもすれば？　助《たす》けてくださいって」

実々《みみ》と近代《ちかよ》がふきだした。

「ぷっ……………はははは！」

「やるー、エリカ」

「さっ、帰《かえ》ろーぜー」

実々《みみ》と近代《ちかよ》の笑《わら》い声《ごえ》が、ろうかを遠《とお》ざかっていく。

静《しず》かになった教室《きょうしつ》で、加奈《かな》は床《ゆか》にしゃがみこみ、力《ちから》なくうなだれた。

「……………」

外《そと》は絶《た》え間《ま》なく雨《あめ》が降《ふ》っていた。窓《まど》や地面《じめん》に雨粒《あまつぶ》のあたる音《おと》が聞《き》こえている。

しばらくぼうぜんとしていた加奈《かな》は、やがて立《た》ちあがった。

汚《よご》れたクマのマスコットをカバンにつけなおし、それを持《も》って旧校舎《きゅうこうしゃ》にむかう。渡《わた》りろうかを抜《ぬ》けた北側《きたがわ》が、古《ふる》びた旧校舎《きゅうこうしゃ》だ。

ギシ……ギシ……ギシ……。

旧校舎《きゅうこうしゃ》のろうかは、歩《ある》くたびに苦《くる》しげな音《おと》をたてた。

(二階《かい》の教室《きょうしつ》。たしか、三年《ねん》四組《くみ》……)

加奈《かな》はほこりの積《つ》もった取《と》っ手《て》をひいて扉《とびら》を開《あ》け、なかに入《はい》っていった。

教室《きょうしつ》のなかはかびくさく、机《つくえ》や椅子《いす》が、ぽつりぽつりとまばらにおいてある。

床《ゆか》には、空《から》っぽの段《だん》ボール箱《ばこ》や、誰《だれ》のものかわからないノートやプリントが散乱《さんらん》していた。

(生徒名簿《せいとめいぼ》、どこ)

机《つくえ》や棚《たな》のなかをさがす。

じつはそのとき、生徒名簿《せいとめいぼ》をさがしている加奈《かな》の姿《すがた》を、じっとみつめている人《ひと》かげがあった。

セーラー服《ふく》を着《き》た少女《しょうじょ》だ。

長《なが》い髪《かみ》はふわりと背中《せなか》までのび、腰《こし》から下《した》はない――。

少女《しょうじょ》の姿《すがた》は誰《だれ》にも見《み》えない。もちろん加奈《かな》にも見《み》えなかった。

少女《しょうじょ》がうっすらと唇《くちびる》を開《ひら》くと、どこからともなく現《あらわ》れた生徒名簿《せいとめいぼ》が、床《ゆか》に落《お》ちる。

バサッ。

突然《とつぜん》、教室《きょうしつ》のすみで音《おと》がして、加奈《かな》はそちらに顔《かお》をむけた。

「……………」

床《ゆか》の上《うえ》に、さっきまではなかった、黒《くろ》い表紙《ひょうし》の生徒名簿《せいとめいぼ》が落《お》ちている。

「……あった」

まるで誰《だれ》かが生徒名簿《せいとめいぼ》を持《も》ってきて、そこに落《お》としてくれたかのようだ。

「もしかして、これがウワサのユーレイ……なの？」

ふだんの加奈《かな》なら、恐怖《きょうふ》で動《うご》けなくなっていたかもしれない。でも心《こころ》のなかが怒《いか》りでいっぱいになっているいまは、少《すこ》しもこわくなかった。

床《ゆか》にぺたんと座《すわ》り、黒《くろ》い表紙《ひょうし》をめくる。

生徒名簿《せいとめいぼ》には、人《ひと》の名前《なまえ》や、小《ちい》さな猫《ねこ》のイラストや、相合傘《あいあいがさ》などのいたずら書《が》きがあった。

「ユーレイに、私《わたし》の願《ねが》いを、叶《かな》えてもらう…………」

加奈《かな》はそうつぶやきながらカバンをまさぐった。ペンケースに入《はい》っていたシャープペンシルをとりだすと、それをしっかりにぎりしめた。

（エリカ…………おとといまで、あんなに楽《たの》しかったのに…………）

エリカとすごした楽《たの》しい時間《じかん》を思《おも》いだし、名前《なまえ》を書《か》こうとする手《て》がぶるぶると震《ふる》えた。

——加奈《かな》ひとりで行《い》ってきな。

——あっ、こわいんでしょー。エリカ、けっこうビビリだからね。

——誰《だれ》がビビリよっ！

そんなふうにふざけたのが、ずいぶん昔《むかし》のように感《かん》じる。

おそろいのカバンを買《か》った日《ひ》、ふたりは教科書《きょうかしょ》を入《い》れてみて「うんっ。中学生《ちゅうがくせい》って感《かん》じ」と笑《わら》いあった。

部活《ぶかつ》をきめるときも、加奈《かな》はエリカと同《おな》じ硬式《こうしき》テニス部《ぶ》に入《はい》ろうとした。

——加奈《かな》って、テニス好《す》きだっけ？

――ううん。別《べつ》に。エリカと同《おな》じにしようかなって。

――また同《おな》じ〜？　ほんと、加奈《かな》は私《わたし》が大《だい》っ好《す》きなんだから。

エリカはそう言《い》ってうれしそうに笑《わら》った。

「それなのに、どうして？」

加奈《かな》の目《め》から大粒《おおつぶ》の涙《なみだ》があふれた。歯《は》を食《く》いしばっても涙《なみだ》はとまらず、ぽたぽたと生徒《せいと》名簿《めいぼ》の上《うえ》に落《お》ちて、涙《なみだ》のシミをつくった。

さっき教室《きょうしつ》でエリカに言《い》われた言葉《ことば》が、耳《みみ》の奥《おく》でありありとよみがえる。

――あんたをかばって、私《わたし》までいじめられなきゃいけないっていうの？

胸《むね》に冷《つめ》たくつきささるような言葉《ことば》だった。

「もう、友《とも》だちなんかじゃない……………」

加奈《かな》はそう言《い》ってむせび泣《な》き、うつむいた。

そのとき、はっと気《き》づいた。

生徒名簿《せいとめいぼ》に、「花取《かとり》エリカ」と名前《なまえ》が書《か》いてある。エリカ本人《ほんにん》の字《じ》だ。

「…………なんでエリカの名前《なまえ》が…………いつの間《ま》に…………？」

ウワサでは「ここに名前《なまえ》を書《か》いて願《ねが》い事《ごと》をすると、ユーレイが願《ねが》いを叶《かな》えてくれる」という。

つまりエリカは、加奈《かな》にだまって、願《ねが》い事《ごと》をしにきていたということだ。

「あんなにうそくさいって言《い》ってたくせに、私《わたし》より先《さき》に!?」

オカルトは信《しん》じないとも言《い》っていた。でも、全部《ぜんぶ》うそだったのだ。

そう思《おも》うと、ふつふつと怒《いか》りがこみあげてきた。

「許《ゆる》せない…………許《ゆる》さないっ！」

加奈《かな》はギリリと奥歯《おくば》を強《つよ》くかむと、紙《かみ》の上《うえ》にシャープペンシルを走《はし》らせた。「花取《かとり》エリカ」と書《か》かれた名前《なまえ》をつぶすように、上《うえ》から「荒樹加奈《あらきかな》」と書《か》く。

そして、教室中《きょうしつじゅう》にひびきわたる大声《おおごえ》で叫《さけ》んだ。

「花取《かとり》エリカを、この世《よ》から消《け》してっ!!」

加奈《かな》の叫《さけ》び声《ごえ》は、すうっと教室《きょうしつ》の空気《くうき》にとけていく。
やがて、どこからともなく、クスクス笑《わら》う女《おんな》の声《こえ》が聞《き》こえてきた。
（な、なに!?）
加奈《かな》が目《め》を見開《みひら》いて顔《かお》をあげると、笑《わら》い声《ごえ》はだんだんと大《おお》きくなっていった。

きゃははははは！
きゃはははははは!!

まるで悪魔《あくま》の笑《わら》い声《ごえ》のようだった。
笑《わら》い声《ごえ》は、嵐《あらし》のようにうずまいて、加奈《かな》をとりかこむ。
こちらの世界《せかい》へようこそと、加奈《かな》を歓迎《かんげい》している――。
こうして荒樹《あらき》加奈《かな》は、悪魔《あくま》に心《こころ》をあけわたしてしまったのだった。

――奈《な》。

誰《だれ》かの声《こえ》がする。

加奈《かな》は、暗《くら》いもやのなかに立《た》っているような気《き》がした。

(ここはどこだろう。私《わたし》、なにしてるんだろう)

「――加奈《かな》」

加奈《かな》をおおっているもやが、だんだんとうすくなっていった。

「加奈《かな》、どうしたの。ボーッとして」

目《め》の前《まえ》に誰《だれ》かがいて、加奈《かな》をのぞきこんで笑《わら》っている。

「明日《あした》の帰《かえ》り、部活《ぶかつ》ないから、カバンにつけるマスコット買《か》いに行《い》こうってば。ふたつめ」

花取《かとり》エリカだった。エリカが、ピースサインのように指《ゆび》を二本立《ほんた》てている。

加奈《かな》は、はっと息《いき》をのみ、あたりを見《み》まわした。

ここは、一年《ねん》二組《くみ》の教室《きょうしつ》だ。

「エ……………エリカ!?」

おそるおそる名前《なまえ》を呼《よ》ぶと、エリカは笑顔《えがお》で答《こた》えた。

「んー?」

(なにこれ…………なんでエリカが私《わたし》に話《はな》しかけて…………それにこれって、おといの会話《かいわ》だし――――)

窓《まど》の外《そと》は青空《あおぞら》。校庭《こうてい》からセミの鳴《な》く声《こえ》が聞《き》こえてくる。

おととい、エリカと学校《がっこう》で別《わか》れたときと同《おな》じだった。

(まさか、時間《じかん》が戻《もど》ってる!?)

エリカは机《つくえ》の上《うえ》にあるプリントをまとめて、両手《りょうて》に持《も》った。

「明日《あした》もお天気《てんき》だといいね」

「……………うん」

加奈《かな》は小《ちい》さな声《こえ》で答《こた》え、頭《あたま》のなかで考《かんが》えをめぐらせた。

(そうだよ。さっきまで旧校舎《きゅうこうしゃ》にいたのに、やっぱりユーレイがなにかしたんだ)

「じゃあ私《わたし》、職員室《しょくいんしつ》に行《い》ってくるね。加奈《かな》は先《さき》に帰《かえ》ってて」

「わ、わかった」

「また明日《あした》ね」

エリカが教室《きょうしつ》をでていく。

そのうしろ姿《すがた》をみつめながら、加奈《かな》はこぶしをにぎりしめ、ギリギリと奥歯《おくば》をかんだ。

(私《わたし》はエリカを消《け》してってたのんだのに!!　エリカを!!)

怒《いか》りで顔《かお》を赤《あか》くして、エリカの背中《せなか》をにらみつける。

加奈《かな》の恨《うら》みは、時間《じかん》がもとに戻《もど》ったところで消《き》えなかった。それどころか、願《ねが》いどおりにならなかったことがくやしかった。

(たのんだのに……………なんで……………なんで消《き》えてないの!?)

加奈《かな》は目《め》をぎょろつかせながら、ろうかにでた。すたすたと早足《はやあし》で歩《ある》いていく。

すると、前《まえ》を歩《ある》いていたふたりの女子《じょし》が振《ふ》りかえった。実々《みみ》と近代《ちかよ》だ。

(塚本《つかもと》さんたち……………)

加奈《かな》が身《み》をすくめて立《た》ちどまると、実々《みみ》が話《はな》しかけてきた。

「えーっと、名前《なまえ》なんだっけ…………同《おな》じクラスの」

となりにいた近代《ちかよ》がつっこむ。

「クラスの子《こ》の名前《なまえ》くらい覚《おぼ》えとけってー。荒樹《あらき》さんだよ」

「そーかっ。はははは。荒樹《あらき》さんて、エリカと仲《なか》いいんだよねーっ。あのさー、エリカ、うちらの悪口《わるくち》言《い》ってなかった？」

実々《みみ》たちとの会話《かいわ》も、おといとほとんど同《おな》じだった。あのときは、加奈《かな》が「悪口《わるくち》は言《い》っていない」ときっぱり言《い》い、そのあと実々《みみ》たちのいやがらせが始《はじ》まった。

つまり、すべてはあのときにはじまったのだ。

その瞬間《しゅんかん》、加奈《かな》はあることを思《おも》いついた。

(そうか。この手《て》があったか…………)

加奈《かな》の瞳《ひとみ》が、にぶく光《ひか》った。

それから、少《すこ》しうつむき、ためらっているふりをした。

「う、うん……言《い》ってたよ」

「え。マジで？」

それまでニヤニヤしていた実々《みみ》から、笑顔《えがお》が消《き》えた。

「本当《ほんとう》だよ。塚本《つかもと》さんたちはガラが悪《わる》いとか、いろいろ」

「はぁ？」

「あいつ、調子《ちょうし》のってんじゃん」

実々《みみ》と近代《ちかよ》が、まゆをつりあげる。

「信《しん》じらんない。あいつ、いいやつのフリして、けっこー性格悪《せいかくわる》くね？」

「まじムカツクよなー」

「荒樹《あらき》さんだっけ、教《おし》えてくれてありがとねー」

実々《みみ》に笑《わら》いかけられ、加奈《かな》は気弱《きよわ》そうな表情《ひょうじょう》をつくり、首《くび》を横《よこ》に振《ふ》った。

「ううん。本当《ほんとう》のことを言《い》っただけだから」

実々《みみ》たちが行《い》ってしまうと、ろうかに残《のこ》された加奈《かな》は、ふふっと笑《わら》った。

「………ふふ、はははは」

そして、大《おお》きくひとつ深呼吸《しんこきゅう》をすると、背筋《せすじ》をのばして歩《ある》きだした。

翌日《よくじつ》は、大雨《おおあめ》だった。

いつもはエリカと待《ま》ち合《あ》わせをして登校《とうこう》するのだが、その日《ひ》は早《はや》めに家《いえ》をでて、ひとりで教室《きょうしつ》に入《はい》った。

実々《みみ》と近代《ちかよ》はもう教室《きょうしつ》にいた。ふたりはエリカの机《つくえ》を持《も》ちあげて、さかさまに倒《たお》している。クラスメイトたちは、それを見《み》ながら笑《わら》っていた。

「あ、荒樹《あらき》さん、おはー」

実々《みみ》はエリカの教科書《きょうかしょ》を床《ゆか》に放《ほう》りなげ、悪《わる》びれもせずに手《て》を振《ふ》った。

(ふーん………私《わたし》の机《つくえ》も、こうやってわざわざ早《はや》く来《き》て倒《たお》したんだ。バカみたい)

心《こころ》のなかではそう思《おも》いながら、加奈《かな》は笑顔《えがお》であいさつを返《かえ》した。

「おはよう」

ちょうどそのとき、エリカが登校《とうこう》してきた。

エリカは教室《きょうしつ》に入《はい》るやいなや、倒《たお》れている自分《じぶん》の机《つくえ》をみつけて足《あし》をとめた。

その様子《ようす》を、加奈《かな》は氷《こおり》のように冷《つめ》たい瞳《ひとみ》でみつめた。

教卓《きょうたく》の前《まえ》に陣《じん》どった実々《みみ》と近代《ちかよ》が、教室《きょうしつ》じゅうにひびく声《こえ》で言《い》う。

「エリカに話《はな》しかけたやつは、もれなくシカトの刑《けい》だからねー」

みんながまた笑《わら》う。エリカを助《たす》ける人《ひと》はひとりもいなかった。

「加奈《かな》……」

エリカのか細《ぼそ》い声《こえ》が聞《き》こえ、加奈《かな》は振《ふ》りかえった。

エリカがすがるような目《め》で、加奈《かな》を見《み》ている。

時間《じかん》が戻《もど》る前《まえ》は、加奈《かな》が同《おな》じような目《め》をして、エリカに助《たす》けを求《もと》めた。それなのに、エリカは助《たす》けてくれなかった。

(そう。ユーレイが消《け》してくれないなら、私《わたし》の手《て》でエリカを消《け》せばいいんだ)

加奈《かな》の表情《ひょうじょう》からは、感情《かんじょう》が失《うしな》われていた。

(少《すこ》しずつ痛《いた》みを味《あじ》わわせながら、消《け》すの)

エリカは、いったいなにが起《お》きているのかわからないといった顔《かお》で、加奈《かな》をみつめている。

それでも加奈《かな》は許《ゆる》さなかった。

（ユーレイは、そのチャンスをくれたんだ）

加奈《かな》は教卓《きょうたく》にむかい、実々《みみ》の横《よこ》にならんだ。そして、淡々《たんたん》とした口調《くちょう》で言《い》った。

「みんな、先生《せんせい》が来《く》る前《まえ》に、エリカを旧校舎《きゅうこうしゃ》に閉《と》じこめましょう」

実々《みみ》と近代《ちかよ》が、ケラケラ笑《わら》いながらはやしたてた。

「おっ、いいね、荒樹《あらき》ちゃん!!」

「荒樹《あらき》ちゃん、かっこいい！」

実々《みみ》は、そばにいた仲間《なかま》の女子《じょし》ふたりに、目《め》で合図《あいず》する。

「そんじゃーさ、誰《だれ》かテキトーに、エリカのことつれてっちゃって」

ふたりの女子《じょし》が「りょーかーい」と言《い》って、左右《さゆう》からエリカの腕《うで》をつかんだ。

「えっ……や、やめて……」

まだ肩《かた》からカバンをかけたままのエリカが、体《からだ》をよじって抵抗《ていこう》した。

「どうしてこんなこと……」

顔《かお》をこわばらせて、加奈《かな》を呼《よ》ぶ。

「加奈《かな》!!」

加奈《かな》はエリカ見《み》ようともしなかった。エリカの腕《うで》をつかんでいる女子《じょし》たちが、うす笑《わら》いを浮《う》かべて、エリカをひっぱっていく。

「さっさと歩《ある》けよ」

「抵抗《ていこう》したってムダだよ」

ひきずられるエリカのうしろを、実々《みみ》と近代《ちかよ》ははしゃぎながらついていく。

加奈《かな》は教卓《きょうたく》の前《まえ》に立《た》ち、すさんだ顔《かお》つきで宙《ちゅう》をみつめていた。

（……………なんだってやってやる）

そして、誰《だれ》にも聞《き》こえないほどの小《ちい》さな声《こえ》でつぶやく。

「望《のぞ》みを叶《かな》えるために、私《わたし》は悪魔《あくま》になったんだから」

加奈《かな》はゆっくりと教室《きょうしつ》をでて、旧校舎《きゅうこうしゃ》にむかった。

外《そと》ははげしく雨《あめ》が降《ふ》っていた。

旧校舎《きゅうこうしゃ》、三年《ねん》四組《くみ》の教室《きょうしつ》には、実々《みみ》と近代《ちかよ》と仲間《なかま》ふたり、加奈《かな》、そしてエリカがいた。

エリカは窓際《まどぎわ》に追《お》いつめられて、体《からだ》をかたくして立《た》っている。

カバンを肩《かた》にかけた、登校《とうこう》したままの恰好《かっこう》で。

「もとはと言《い》えば、あんたが悪《わる》いんだよ、エリカ」

エリカのうしろの窓《まど》ガラスに雨粒《あまつぶ》があたり、パラパラと音《おと》をたてた。

実々《みみ》と近代《ちかよ》が、腕組《うでぐ》みをしてあごをあげ、エリカを見《み》おろす。

「うちらの悪口《わるくち》言《い》ったんだって？　やっぱあんたサイテー！」

「どうやっておしおきする？」

「あ、私《わたし》いいもん持《も》ってるよ」

と、近代《ちかよ》がスカートのポケットからライターをとりだし、実々《みみ》に渡《わた》した。

みんながうすら笑《わら》いを浮《う》かべる。

暗《くら》い瞳《ひとみ》をした加奈《かな》だけは、笑《わら》いもせず、無言《むごん》でみんなの様子《ようす》をみつめていた。

「な、なにする気《き》なの!?」

おびえたエリカが、近代《ちかよ》にむかってカバンを投《な》げつけた。

「痛《いた》っ！　カバン投《な》げるとか、マジうけるんですけど」

「暴力《ぼうりょく》はんたーい」

実々《みみ》はそう言《い》って、床《ゆか》に落《お》ちたカバンをひろいあげ、なかからノートを一冊《いっさつ》だした。

それを片手《かたて》に持《も》ち、片手《かたて》でライターをつけ、火《ひ》をノートに近《ちか》づけていく。

「ちょっ………」

エリカが必死《ひっし》にかけ寄《よ》ると、実々《みみ》は笑《わら》いだした。

「ぷっ。超《ちょう》びびってるし。うける!!」

実々《みみ》がよけて、エリカが転《ころ》びそうになる。

「あははは！」

みんながどっと沸《わ》いた。

加奈《かな》は瞬《まばた》きもせずにその様子《ようす》をみつめていた。

(エリカ。いじめられるのってどんな気分《きぶん》？)

カバンを追《お》って手《て》をのばすエリカに、加奈《かな》は心《こころ》のなかで問《と》いかけた。

(私《わたし》が受《う》けた苦《くる》しみは、こんなんじゃまだまだたりないよ)

加奈《かな》は、念《ねん》じるように、エリカをにらんだ。

(まだたりない。もっともっと…………もっと!!)

実々《みみ》が、挑発《ちょうはつ》するようにスキップしながら、窓際《まどぎわ》に近《ちか》づいていった。

エリカがふらふらとそのあとを追《お》う。

「返《かえ》して、私《わたし》のカバン!!」

エリカが手《て》をのばし、実々《みみ》が身《み》をひるがえした。

その拍子《ひょうし》に、ライターを持《も》っていた実々《みみ》の手《て》が、窓《まど》にかかっているカーテンのはしにあたった。

「わっ。あぶないだろ――――」

次《つぎ》の瞬間《しゅんかん》、ボボッとにぶい音《おと》がして、ライターの火《ひ》がカーテンに移《うつ》った。

「やっべ」

カーテンに移《うつ》った火《ひ》は小《ちい》さいが、布《ぬの》を焦《こ》がして少《すこ》しずつひろがっている。

実々《みみ》があせりだした。

「ど、どうしよ」

「うちらのせいじゃないよっ。行《い》こっ！」

近代《ちかよ》が実々《みみ》の腕《うで》をひっぱり、他《ほか》のふたりもあわてて立《た》ち去《さ》ろうとした。

しかし、加奈《かな》だけは動《うご》かなかった。おちついた声《こえ》で言《い》う。

「待《ま》って。扉《とびら》を押《お》さえる棒《ぼう》かなにか、持《も》ってきて」

「え？　で、でも…………」

近代《ちかよ》が不安《ふあん》そうに視線《しせん》をただよわせるが、加奈《かな》はきっぱりと返《かえ》した。

「言《い》ったじゃん。閉《と》じこめるって」

教室《きょうしつ》のなかがしんと静《しず》まる。

雨《あめ》の音《おと》と、カーテンが燃《も》えるパチパチというわずかな音《おと》だけが、あたりにひびいていた。

エリカは床《ゆか》にひざをつき、肩《かた》で息《いき》をしながらうつむいていた。

やがて、ぽつりと言《い》った。

「…………やっぱり加奈《かな》の願《ねが》いは、私《わたし》を消《け》すことなんだね」

エリカの顔《かお》や制服《せいふく》は、汗《あせ》とほこりで汚《よご》れていた。

「よかったね。これから叶《かな》うんだ…………」

加奈《かな》の頬《ほお》が、ぴくりと動《うご》いた。

（なんでそれを知《し》ってるの？）

生徒名簿《せいとめいぼ》に名前《なまえ》を書《か》いたことを、加奈《かな》はエリカに話《はな》していない。だから知《し》っているはずがないのだ。

（――――そうか、あのとき、見《み》てたのか。エリカの名前《なまえ》も書《か》いてあったもんね）

きっとエリカは、加奈《かな》が来《く》る直前《ちょくぜん》にこの教室《きょうしつ》に来《き》て、名簿《めいぼ》に名前《なまえ》を書《か》いたのだろう。

そして教室《きょうしつ》をでてすぐに、加奈《かな》がのこのことやってきた。

エリカはどこかにかくれて、一部始終《いちぶしじゅう》を見《み》ていたにちがいない。

（私《わたし》が名前《なまえ》を書《か》いて、エリカを消《け》してほしいと言《い》ったのを、見《み》てたんだ………）

「そうだね」

加奈《かな》は唇《くちびる》のはしをあげ、意地《いじ》の悪《わる》い笑《え》みを浮《う》かべた。

「エリカがなんて願《ねが》ったのか知《し》らないけど、旧校舎《きゅうこうしゃ》のユーレイは私《わたし》を選《えら》んでくれたみたい。残念《ざんねん》だったね」

これから「エリカを消《け》す」という願《ねが》いが叶《かな》う。それはユーレイが、エリカではなく加奈《かな》

を選《えら》んだからだ。

エリカが苦《くる》しげに顔《かお》をゆがめて、加《か》奈《な》を見《み》あげた。

「………加《か》奈《な》」

「ばいばい、エリカ」

加《か》奈《な》は静《しず》かにそう言《い》うと、みんなのあとについて教室《きょうしつ》をでた。

ガラガラと扉《とびら》を閉《し》める。そして、そこに落《お》ちていた板《いた》を、扉《とびら》と壁《かべ》とのすきまに差《さ》しこんで、扉《とびら》が動《うご》かないようにした。


渡《わた》りろうかまで来《く》ると、実《み》々《み》と近代《ちかよ》は、平然《へいぜん》とおしゃべりをはじめた。

「………まぁ、あれくらいの火《ひ》だったら、大丈夫《だいじょうぶ》だよね」

「いまごろあいつ、あわてて消《け》してるんじゃん？」

「それに、教室《きょうしつ》からでようと思《おも》えば、前《まえ》のドアが開《あ》くしさ」

「でも、前《まえ》のドアって、古《ふる》い棚《たな》とか机《つくえ》がおいてあって、ふさがってなかった？」

「そんなの、どければいいじゃん。いくらでも逃《に》げられるって」

「だよね！」

実々《みみ》たち四人《にん》は、あははは大《おお》きな口《くち》を開《あ》けて笑《わら》った。

加奈《かな》は無表情《むひょうじょう》のまま、四人《にん》のうしろを歩《ある》いていく。

（……………終《お》わったんだ。これでもう、全部終《ぜんぶお》わったんだ）

うれしくもないし、悲《かな》しくもない。加奈《かな》の心《こころ》は冷《ひ》えきって、なにも感《かん》じなくなっていた。

さっきまではげしかった雨脚《あまあし》が、だんだん弱《よわ》くなってきた。

近代《ちかよ》が、実々《みみ》の持《も》っていたカバンを指《ゆび》さす。

「実々《みみ》、そのカバン」

「あ、やべー。あいつのカバン、持《も》ってきちゃった」

エリカからとりあげたカバンを、そのまま肩《かた》にかけていたのだった。実々《みみ》はカバンを開《あ》けて、なかを物色《ぶっしょく》しだした。

「なにこれー。変《へん》なの入《はい》ってる」

エリカのカバンからでてきたのは、ボールチェーンのついたマスコットだった。

体《からだ》に浮《う》き輪《わ》をつけたウサギのマスコット。それがふたつ入《はい》っていた。

（あのマスコットって、まさか………）

実々《みみ》が、人《ひと》さし指《ゆび》と中指《なかゆび》にボールチェーンをひっかけ、二匹《ひき》のウサギを乱暴《らんぼう》に振《ふ》りまわした。

「しかも、ふたつも」

加奈《かな》の足《あし》がぴたりととまった。

実々《みみ》の立《た》てた二本《ほん》の指《ゆび》を見《み》て、エリカの仕草《しぐさ》を思《おも》いだしたのだった。

――カバンにつけるマスコット買《か》いに行《い》かない？　ふたつめ、買《か》おうよ！

（え………!?）

クマとどちらにしようか迷《まよ》っていた、ウサギのマスコット。

（なんで………どういうこと!?）

加奈《かな》の心臓《しんぞう》が、バクバクと体《からだ》のなかで音《おと》をたてる。

（なんでエリカが………）

実々《みみ》が、指《ゆび》にひっかけたマスコットを、バカにするような目《め》で見《み》た。

「あとでゴミ箱《ばこ》に捨《す》てとこー」

それを聞《き》いた加奈《かな》は、とっさに実々《みみ》の手《て》からマスコットを奪《うば》いとった。
「あ、おい!!」
実々《みみ》が呼《よ》びとめるのを無視《むし》して、加奈《かな》はかけだした。
そのまま旧校舎《きゅうこうしゃ》まで走《はし》っていく。頭《あたま》のなかは疑問《ぎもん》でいっぱいだった。
(なんでエリカのカバンに………)
二階《かい》まで一気《いっき》にかけあがると、三年《ねん》四組《くみ》の教室《きょうしつ》の前《まえ》に立《た》った。
息《いき》が切《き》れ、肩《かた》で呼吸《こきゅう》をする。
教室《きょうしつ》の扉《とびら》には、加奈《かな》が差《さ》しこんだ板《いた》が、はまったままだった。前《まえ》の扉《とびら》も開《あ》いていない。
エリカはまだなかにいるのだ。
加奈《かな》は扉《とびら》の前《まえ》に立《た》ち、大声《おおごえ》で叫《さけ》んだ。
「エリカ!!」
教室《きょうしつ》のなかでは、ひとりで立《た》ちすくんでいたエリカが、ゆっくりと扉《とびら》のほうをむいた。
部屋《へや》じゅうが、赤《あか》い火《ひ》と黒《くろ》い煙《けむり》でいっぱいだった。
扉《とびら》の外《そと》にいる加奈《かな》が、ウサギのマスコットをにぎりしめた。

「これなに!? なんでマスコットを、エリカが持《も》ってるの!?」

エリカは、加奈《かな》たちに閉《し》められた扉《とびら》を、うつろにながめた。

「…………加奈《かな》は怒《おこ》るだろうけど、私《わたし》は塚本《つかもと》たちといるとき、ずっと考《かんが》えてた」

そう言《い》うと、また顔《かお》をふせる。

「加奈《かな》とまたふたりで仲良《なかよ》くできたらって…………」

ろうかにいる加奈《かな》は、ぼうぜんとして、扉《とびら》ごしのエリカの声《こえ》に耳《みみ》を澄《す》ました。

エリカの声《こえ》はとても小《ちい》さくて、時々《ときどき》パチパチというなにかが燃《も》える音《おと》にかき消《け》されそうになる。

「あのとき、いじめられるのがこわくて、どうしても加奈《かな》をかばえなかった。自分《じぶん》を守《まも》ることしかできなかったんだ…………」

そう言《い》いながら、教室《きょうしつ》にいるエリカの体《からだ》はカタカタと小刻《こきざ》みに震《ふる》えた。

「おそろいのマスコットを買《か》って渡《わた》して、もとに戻《もど》ろうと思《おも》ったけど…………勇気《ゆうき》がでなかった。それで私《わたし》は、旧校舎《きゅうこうしゃ》に行《い》ったんだ…………」

扉《とびら》の外《そと》にいた加奈《かな》は目《め》をまるくした。

エリカはユーレイになにを願《ねが》ったのだろうか。
もう一度《いちど》加奈《かな》と仲良《なかよ》くしたい、だろうか。それとも、加奈《かな》にあやまりたい、だろうか。
でも、なにを言《い》われても、もう遅《おそ》い。
(なにをいまさら………)
加奈《かな》は、ウサギのマスコットを、再《ふたた》び強《つよ》くにぎりしめた。
ウサギのかわいい顔《かお》が、つぶれてゆがむ。
(そんなの、私《わたし》だって、できることならいっしょにいたかった。でも………でもっ!)
エリカが実々《みみ》たちの言《い》いなりにならなければ。
エリカがクマのマスコットを切《き》らなければ。
エリカが加奈《かな》にひどいことを言《い》わなければ。
「エリカが全部《ぜんぶ》ぶち壊《こわ》したんだ!!」
加奈《かな》は泣《な》きだしそうになりながら叫《さけ》んだ。
荒《あら》い呼吸《こきゅう》をしながら、閉《し》まっている扉《とびら》をみつめる。
「………うん。本当《ほんとう》だね。加奈《かな》、ごめん」

教室《きょうしつ》のなかのエリカは、目《め》に涙《なみだ》をためて、やさしく笑《わら》った。

「いままで、ありがとね!!」

エリカがそう言《い》った瞬間《しゅんかん》、カーテンの炎《ほのお》が一気《いっき》に巻《ま》きあがった。

ゴォオォッとうなるような音《おと》がして、あたりが真《ま》っ赤《か》に染《そ》まる。

火《ひ》のいきおいが強《つよ》くなったことは、扉《とびら》の外《そと》にいた加奈《かな》にもわかった。音《おと》が変《か》わったからだ。

これで「エリカを消《け》して」という加奈《かな》の願《ねが》いが叶《かな》う。

そのはずなのに、加奈《かな》はおそろしくてたまらなくなった。

(エリカがいなくなる………?)

加奈《かな》の胸《むね》に、いままでの思《おも》い出《で》が浮《う》かんできた。

入学式《にゅうがくしき》――あのときも、ふたりはいっしょにクラス分《わ》け表《ひょう》を見《み》に行《い》った。

「うわ〜〜。クラスはなれるのいやだ〜〜」

騒《さわ》ぐ加奈《かな》とは逆《ぎゃく》に、エリカはおちついていた。

「そんときはそんときだよ」

「冷《つめ》たいなー。さびしくないの!?」

でも、エリカは加奈《かな》よりも先《さき》に掲示板《けいじばん》を見《み》に行《い》き、走《はし》って戻《もど》ってきたのだった。

「加奈《かな》!! うちらクラスいっしょだよ!」

「えっ」

「やった!!」

あのときのエリカの笑顔《えがお》を、加奈《かな》は覚《おぼ》えている。

とびっきり元気《げんき》で明《あか》るい、無敵《むてき》の笑顔《えがお》だった。


「……………ちがう……………」

扉《とびら》の外《そと》に立《た》っていた加奈《かな》は、ぽつりとつぶやいた。

涙《なみだ》が頬《ほお》をつたい、ぽろぽろと落《お》ちていく。

(私《わたし》、本当《ほんとう》はこんなことを望《のぞ》んでたんじゃない。本当《ほんとう》は……………)

加奈《かな》は、扉《とびら》と壁《かべ》のすきまに差《さ》しこんでいた板《いた》を抜《ぬ》き、ろうかに投《な》げすてた。

「ごめん、エリカ。いま、助《たす》けるから…………!!」

取《と》っ手《て》をつかんだ加奈《かな》は、扉《とびら》を横《よこ》にスライドさせようとする。

しかし、いくら力《ちから》を入《い》れても、扉《とびら》はまったく動《うご》かなかった。

「開《あ》かない!?　なんで!?」

加奈《かな》はもうひとつの扉《とびら》に走《はし》り、開《あ》けようとする。しかし、こちらもびくともしない。

すると、教室《きょうしつ》のなかから、か細《ぼそ》い声《こえ》が聞《き》こえてきた。

「…………ムリだよ。次《つぎ》は加奈《かな》の願《ねが》いが叶《かな》う番《ばん》だから」

「え？　次《つぎ》？」

教室《きょうしつ》のなかのエリカは、もう立《た》っていることさえできずに、床《ゆか》に倒《たお》れてしまった。

炎《ほのお》と熱風《ねっぷう》と煙《けむり》が、エリカの体《からだ》を包《つつ》みはじめる。

「私《わたし》の願《ねが》いは、『楽《たの》しかった昔《むかし》に戻《もど》して』。ユーレイは、先《さき》に名前《なまえ》を書《か》いた私《わたし》のその願《ねが》いを
…………加奈《かな》の願《ねが》いより前《まえ》に叶《かな》えてくれたの…………」

「えっ!?」

(じゃあ、時間《じかん》がおとといに戻《もど》ったのは、私《わたし》の願《ねが》いじゃなくて、エリカの願《ねが》いが叶《かな》ったたか

ら!?)

エリカの願《ねが》いが叶《かな》えられ、楽《たの》しかった昔《むかし》に、つまりおとといに時《じ》間《かん》が戻《もど》った。

(だ……だったら、私《わたし》の願《ねが》いは……)


『エリカをこの世《よ》から消《け》して』


その願《ねが》いが、これから叶《かな》えられようとしている。

エリカは、この火《か》事《じ》のせいで消《き》えてしまうのだ。

「エリカ、いますぐでて!!」

加《か》奈《な》は両《りょう》手《て》のこぶしで、ドンドンドンとはげしく扉《とびら》をたたいた。

扉《とびら》ごしでも、なかの熱《あつ》さが伝《つた》わってくる。

「エリカー!!」

(そんな……そんなっ……)

扉《とびら》を強《つよ》く何《なん》度《ど》もたたきすぎて、加《か》奈《な》の手《て》は赤《あか》くはれてきた。

いくら名前《なまえ》を呼《よ》んでも、教室《きょうしつ》のなかからは返事《へんじ》がない。

加奈《かな》は絶望的《ぜつぼうてき》な気持《きも》ちになった。涙《なみだ》があふれて、扉《とびら》をたたく力《ちから》もだんだんなくなってい く。とうとう加奈《かな》は扉《とびら》にもたれかかり、がっくりと床《ゆか》にひざをついてしまった。

(もう遅《おそ》いの!?)

「………もう遅《おそ》いの?」

はぁはぁと息《いき》を乱《みだ》しながら、加奈《かな》は顔《かお》をあげた。

ふと横《よこ》を見《み》ると、ろうかに備《そな》えつけの消火器《しょうかき》がおいてあるのが見《み》える。

加奈《かな》はよろよろと立《た》ちあがり、重《おも》い消火器《しょうかき》の取《と》っ手《て》をつかみ、ひきずるようにはこんだ。

そして扉《とびら》の前《まえ》まで来《く》ると、歯《は》をくいしばって消火器《しょうかき》を持《も》ちあげ、扉《とびら》にむかって投《な》げた。

「ウアアアアッ!」

バキッ!

はげしい音《おと》がして扉《とびら》に穴《あな》があき、その衝撃《しょうげき》で扉《とびら》がはずれて床《ゆか》に倒《たお》れた。

教室《きょうしつ》のなかは炎《ほのお》がまわり、熱風《ねっぷう》が押《お》し寄《よ》せてくる。

「エリカ!!」

加奈《かな》はわき目《め》もふらず、エリカにかけ寄《よ》った。

エリカはぐったりと床《ゆか》に横《よこ》たわり、まぶたは開《ひら》いているが、返事《へんじ》はない。

「立《た》って！　早《はや》く逃《に》げるよ！」

加奈《かな》がエリカの腕《うで》を自分《じぶん》の肩《かた》にまわして、エリカを抱《だ》きおこした。

エリカは弱々《よわよわ》しく体《からだ》を起《お》こし、顔《かお》をゆがめて泣《な》きだす。

「……………ごめんね」

加奈《かな》の手《て》を借《か》りて、ふらつきながら立《た》ちあがる。

「……………ごめんね、加奈《かな》…………」

「私《わたし》もっ……ごめん」

加奈《かな》の目《め》にも涙《なみだ》が浮《う》かんでいた。

ふと床《ゆか》を見《み》ると、あの黒《くろ》い表紙《ひょうし》の生徒名簿《せいとめいぼ》が落《お》ちている。

加奈《かな》はそれをひろいあげ、黒《くろ》い表紙《ひょうし》をじっとみつめた。

「加奈《かな》？　どうしたの」

「こんなもの…………」

赤《あか》い炎《ほのお》が床《ゆか》をつたい、加奈《かな》たちに迫《せま》る。

エリカがおびえた顔《かお》で、加奈《かな》を見《み》あげた。

「早《はや》くしないと、火《ひ》が…………」

「…………うん!!」

加奈《かな》は大《おお》きくうなずき、持《も》っていた生徒名簿《せいとめいぼ》を、炎《ほのお》のなかに投《な》げた。

またたく間《ま》に火《ひ》は生徒名簿《せいとめいぼ》に移《うつ》り、表紙《ひょうし》のはしから燃《も》えていく。

花取《かとり》エリカという名前《なまえ》も。

荒樹加奈《あらきかな》という名前《なまえ》も。

名簿《めいぼ》に書《か》かれた名前《なまえ》は、炎《ほのお》といっしょに消《き》えた。

「さあ、帰《かえ》ろう…………」

加奈《かな》とエリカは、お互《たが》いの体《からだ》を支《ささ》えるようにして、教室《きょうしつ》からでていった。

そのうしろ姿《すがた》を、セーラー服《ふく》を着《き》た少女《しょうじょ》がみつめていた。

少女《しょうじょ》の髪《かみ》は長《なが》く、瞳《ひとみ》は猫《ねこ》のように金色《きんいろ》に光《ひか》っている。

そして、腰《こし》から下《した》はなぜか消《き》えている。

少女《しょうじょ》は燃《も》えたはずの生徒名簿《せいとめいぼ》を手《て》に持《も》ち、おだやかに微笑《ほほえ》んでいた。


加奈《かな》は、はじかれたように目《め》を覚《さ》ました。

がばっと起《お》きあがり、あたりを見《み》まわす。

そこは旧校舎《きゅうこうしゃ》、三年《ねん》四組《くみ》の教室《きょうしつ》だった。

「旧校舎《きゅうこうしゃ》!?　燃《も》えてない……」

床《ゆか》の上《うえ》には、黒《くろ》い表紙《ひょうし》の生徒名簿《せいとめいぼ》がひろげてある。

エリカの名前《なまえ》と加奈《かな》の名前《なまえ》は、まだ書《か》かれていない。

ふたりが名前《なまえ》を書《か》いた時間《じかん》より前《まえ》の時間《じかん》に、戻《もど》ってきたのだった。

「あの日《ひ》に帰《かえ》ってきたんだ」

加奈《かな》はあわてて立《た》ちあがり、走《はし》りだした。早《はや》くエリカをさがしださないと、大変《たいへん》なことになる。

（エリカに名前《なまえ》を書《か》かせないようにしないと。きっといま、塚本《つかもと》さんたちといっしょにいるはずだから……）

教室《きょうしつ》に戻《もど》ってみたが、エリカも実々《みみ》たちもいなかった。

（塚本《つかもと》さんたちがよく集《あつ》まってる場所《ばしょ》は……………。そうだ、中庭《なかにわ》のフェンスのところ）

加奈《かな》はろうかにでて階段《かいだん》をかけおり、中庭《なかにわ》にむかった。

思《おも》ったとおり、実々《みみ》たちはフェンスのそばに立《た》ち、エリカをとりかこんでいた。

「エリカ！」

加奈《かな》が叫《さけ》ぶと、フェンスに体《からだ》をむけてうつむいていたエリカが振《ふ》りかえった。

「加奈《かな》っ！」

ぱっと笑顔《えがお》になったエリカが、加奈《かな》のもとへ走《はし》りだした。

すると、実々《みみ》がどなった。

「エリカ!!」

エリカが思《おも》わず足《あし》をとめる。

「あんたわかってんの？　うちらを裏切《うらぎ》ったら、あんたもターゲットだよ」

エリカはこぶしをぎゅっとにぎりしめ、勇気《ゆうき》をもって振《ふ》りむく。

「もうあんたたちなんて、こわくないっ」

きっぱりとそう言《い》うと、加奈《かな》のとなりにかけ寄《よ》った。
エリカが加奈《かな》の手《て》をとった。
加奈《かな》も、エリカの手《て》を強《つよ》くにぎった。
ふたりはしっかり手《て》をつないで、実々《みみ》たちに言《い》った。

「「ひとりじゃないもん」」

実々《みみ》と近代《ちかよ》が、くやしそうに口《くち》もとをゆがめる。
加奈《かな》とエリカは、実々《みみ》たちにくるりと背《せ》をむけると、軽《かろ》やかに走《はし》りだした。
まるで羽《はね》が生《は》えたように。
(私《わたし》たちは弱《よわ》い。ひとりぼっちがすごくこわくて、すぐ誰《だれ》かを傷《きず》つけてしまう)
エリカも加奈《かな》も、ひとりになることをおそれて、傷《きず》つけあった。
相手《あいて》を信《しん》じられず、悪魔《あくま》になってしまった。
(でも、もう大丈夫《だいじょうぶ》)

エリカが加奈《かな》に笑《わら》いかけた。

「加奈《かな》っ。早《はや》くしないと雑貨屋《ざっかや》さんが閉《し》まっちゃうよ」

「うんっ。今日《きょう》はなに見《み》る？　マスコットはもうふたつあるし」

「じゃあ、三《みっ》つめ！」

「三《みっ》つめ!?」

ふたりは最強《さいきょう》の笑顔《えがお》で、走《はし》りつづけた。

朝《あさ》から降《ふ》っていた雨《あめ》は、いつの間《ま》にかあがっていて、西《にし》の空《そら》が明《あか》るい。

（私《わたし》は大切《たいせつ》なものを見失《みうしな》わない。もう二度《にど》と――）

加奈《かな》とエリカは、心《こころ》のなかでそう誓《ちか》った。

エピローグ

百二十二時間目《ひゃくにじゅうにじかんめ》の授業《じゅぎょう》は、これでおしまいです。

生徒名簿《せいとめいぼ》に名前《なまえ》を書《か》いて、願《ねが》い事《ごと》をすると、願《ねが》いが叶《かな》う――。

こんな名簿《めいぼ》を手《て》に入《い》れたら、みなさんはなにを願《ねが》いますか？

「テストで百点《ひゃくてん》をとらせて」

「お金持《かねも》ちになりたい」

「好《す》きな人《ひと》と両想《りょうおも》いにして」

ウワサのユーレイが、どんな願《ねが》いでも叶《かな》えてくれます。

でも、そのかわりになにかを失《うしな》うかもしれません。

あの少女《しょうじょ》たちのようにね。

まるで悪魔《あくま》のようなユーレイじゃないか、ですって？
はたしてそうでしょうか。
ユーレイは、願《ねが》いを聞《き》いてあげただけ。
本当《ほんとう》の悪魔《あくま》は、みなさんの心《こころ》のなかにいるのかもしれませんよ。
それでは、次回《じかい》の絶叫学級《ぜっきょうがっきゅう》でまたお会《あ》いしましょう！

こんにちは
もうひとつの絶叫学級《ぜっきょうがっきゅう》へようこそ
絶叫学級
課外授業《かがいじゅぎょう》「テンマンさんクイズ」
RMC『絶叫学級《ぜっきょうがっきゅう》 転生《てんせい》』⑯巻《かん》 授業《じゅぎょう》72
突然《とつぜん》ですが皆《みな》さんは「テンマンさん」をご存知《ぞんじ》ですか？
どこからともなく現《あらわ》れクイズをだしてくる
奇妙《きみょう》な出題者《しゅつだいしゃ》です
興味《きょうみ》を持《も》たれた方《かた》
面白《おもしろ》いのはここからですよ

テンマンさんのクイズに間違《まちが》えるとなんと…
脳《のう》をひきずりだされて殺《ころ》されるそうです
ここに2人《ふたり》の秀才《しゅうさい》がいます
私以外《わたしいがい》皆《みんな》バカだから
私《わたし》は天才《てんさい》なんです〜
果《は》たして彼女《かのじょ》たちはテンマンさんのクイズに全問正解《ぜんもんせいかい》することができるのでしょうか…
ぜひ皆《みな》さんの目《め》で見届《みとど》けてくださいね

この作品は、集英社よりコミックスとして刊行された『絶叫学級』6巻、『絶叫学級 転生』9、10、12巻をもとに、ノベライズしたものです。

集英社みらい文庫

絶叫学級《ぜっきょうがっきゅう》
ウワサ話《ばなし》の黒幕《くろまく》 編《へん》

いしかわえみ　原作・絵
はのまきみ　著

ファンレターのあて先
〒101-8050　東京都千代田区一ツ橋2-5-10　集英社みらい文庫編集部
いただいたお便りは編集部から先生におわたしいたします。

2022年2月28日　第1刷発行

発行者　北畠輝幸
発行所　株式会社 集英社
〒101-8050　東京都千代田区一ツ橋2-5-10
電話　編集部 03-3230-6246
読者係 03-3230-6080
販売部 03-3230-6393（書店専用）
http://miraibunko.jp
装　丁　小松昇（Rise Design Room）　中島由佳理
印　刷　凸版印刷株式会社
製　本　凸版印刷株式会社

★この作品はフィクションです。実在の人物・団体・事件などにはいっさい関係ありません。

ISBN978-4-08-321708-1　C8293　N.D.C.913　188P　18cm

「りぼん」連載《れんさい》の
人気《にんき》ホラー・コミックのノベライズ!!

いしかわえみ・原作/絵
はのまきみ（25より）
桑野和明《くわのかずあき》（24まで）・著

31
赤《あか》い断《だん》末《まつ》魔《ま》編《へん》

お呼《よ》ばれした結婚《けっこん》式《しき》でこっそりはめた結婚指輪《けっこんゆびわ》がぬけなくなる「血《ち》ぬれた花嫁《はなよめ》」ほか4話《わ》を収録《しゅうろく》！

32
コンプレックスの奴《ど》隷《れい》編《へん》

プリクラに写《うつ》っていた女《おんな》の子《こ》を真似《まね》してオシャレをはじめる「カリスマスクール」ほか4話《わ》を収録《しゅうろく》！

最新刊《さいしんかん》

33
ウワサ話《ばなし》の黒《くろ》幕《まく》編《へん》

スマホにあった撮《と》った覚《おぼ》えのない写真《しゃしん》がだんだんと動《うご》きはじめる「君《きみ》のヒロイン」ほか4話《わ》を収録《しゅうろく》！

既刊案内《きかんあんない》

1 禁断《きんだん》の遊《あそ》び 編《へん》
2 暗闇《くらやみ》にひそむ大人《おとな》たち 編《へん》
3 くずれゆく友情《ゆうじょう》 編《へん》
4 ゆがんだ願《ねが》い 編《へん》
5 ニセモノの親切《しんせつ》 編《へん》
6 プレゼントの甘《あま》いワナ 編《へん》
7 いつわりの自分《じぶん》 編《へん》
8 ルール違反《いはん》の罪《つみ》と罰《ばつ》 編《へん》
9 終《お》わりのない欲望《よくぼう》 編《へん》
10 悪夢《あくむ》の花園《はなぞの》 編《へん》
11 いじめの結末《けつまつ》 編《へん》
12 家族《かぞく》のうらぎり 編《へん》
13 不幸《ふこう》を呼《よ》ぶ親友《しんゆう》 編《へん》
14 死《し》を招《まね》く都市伝説《としでんせつ》 編《へん》
15 呪《のろ》われた初恋《はつこい》 編《へん》
16 満《み》たされないココロ 編《へん》
17 笑顔《えがお》の裏《うら》の本音《ほんね》 編《へん》
18 ナイモノねだりの報《むく》い 編《へん》
19 人気者《にんきもの》の正体《しょうたい》 編《へん》
20 いびつな恋愛《れんあい》 編《へん》
21 つきまとう黒《くろ》い影《かげ》 編《へん》
22 悪意《あくい》にまみれた友《とも》だち 編《へん》
23 災《わざわ》いを生《う》むウワサ 編《へん》
24 悪魔《あくま》のいる教室《きょうしつ》 編《へん》
25 むきだしの願望《がんぼう》 編《へん》
26 還《かえ》り道《みち》のない旅《たび》 編《へん》
27 黄泉《よみ》の誕生《たんじょう》 編《へん》
28 むしばまれた家《いえ》 編《へん》
29 繰《く》りかえすコドモタチ 編《へん》
30 見《み》えない侵入者《しんにゅうしゃ》 編《へん》
31 赤《あか》い断末魔《だんまつま》 編《へん》
32 コンプレックスの奴隷《どれい》 編《へん》
33 ウワサ話《ばなし》の黒幕《くろまく》 編《へん》

ノベライズ

シリーズ累計《るいけい》
100万《まん》部《ぶ》
突破《とっぱ》!!

絶叫学級《ぜっきょうがっきゅう》

1

禁断《きんだん》の遊《あそ》び編《へん》

恐怖《きょうふ》の授業《じゅぎょう》のはじまり。黒《くろ》くて不思議《ふしぎ》な携帯《けいたい》ゲーム機《き》にまつわる「悪魔《あくま》のゲーム」ほか4話《わ》を収録《しゅうろく》！

15

呪《のろ》われた初恋《はつこい》編《へん》

冷《つめ》たい態度《たいど》の恋人《こいびと》とバレンタインで絆《きずな》を深《ふか》めようとする「ブラッディ・バレンタイン」ほか4話《わ》を収録《しゅうろく》！

30

見《み》えない侵入者《しんにゅうしゃ》編《へん》

再生回数《さいせいかいすう》をかせぐため動画投稿《どうがとうこう》サイトに自撮《じど》り映像《えいぞう》をアップする「みえざる視線《しせん》」ほか4話《わ》を収録《しゅうろく》！

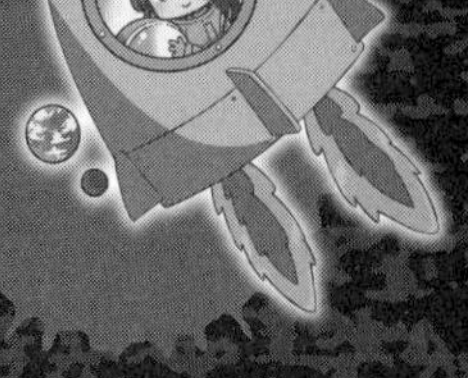

「みらい文庫《ぶんこ》」読者《どくしゃ》のみなさんへ

言葉《ことば》を学《まな》ぶ、感性《かんせい》を磨《みが》く、創造力《そうぞうりょく》を育《はぐく》む……、読書《どくしょ》は「人間力《にんげんりょく》」を高《たか》めるために欠《か》かせません。たった一枚《いちまい》のページをめくる向《む》こう側《がわ》に、未知《みち》の世界《せかい》、ドキドキのみらいが無限《むげん》に広《ひろ》がっている。これこそが「本《ほん》」だけが持《も》っているパワーです。

学校《がっこう》の朝《あさ》の読書《どくしょ》に、休《やす》み時間《じかん》に、放課後《ほうかご》に……。いつでも、どこでも、すぐに続《つづ》きを読《よ》みたくなるような、魅力《みりょく》に溢《あふ》れる本《ほん》をたくさん揃《そろ》えていきたい。読書《どくしょ》がくれる、心《こころ》がきらきらしたり胸《むね》がきゅんとする瞬間《しゅんかん》を体験《たいけん》してほしい、楽《たの》しんでほしい。みらいの日本《にほん》、そして世界《せかい》を担《にな》うみなさんが、やがて大人《おとな》になった時《とき》、「読書《どくしょ》の魅力《みりょく》を初《はじ》めて知《し》った本《ほん》」「自分《じぶん》のおこづかいで初《はじ》めて買《か》った一冊《いっさつ》」と思《おも》い出《だ》してくれるような作品《さくひん》を一所懸命《いっしょけんめい》、大切《たいせつ》に創《つく》っていきたい。

そんないっぱいの想《おも》いを込《こ》めながら、作家《さっか》の先生方《せんせいがた》と一緒《いっしょ》に、私《わたし》たちは素敵《すてき》な本作《ほんづく》りを続《つづ》けていきます。「みらい文庫《ぶんこ》」は、無限《むげん》の宇宙《うちゅう》に浮《う》かぶ星《ほし》のように、夢《ゆめ》をたたえ輝《かがや》きながら、次々《つぎつぎ》と新《あたら》しく生《う》まれ続《つづ》けます。

本《ほん》を持《も》つ、その手《て》の中《なか》に、ドキドキするみらい——。

本《ほん》の宇宙《うちゅう》から、自分《じぶん》だけの健《すこ》やかな空想力《くうそうりょく》を育《そだ》て、〝みらいの星《ほし》〟をたくさん見《み》つけてください。

そして、大切《たいせつ》なこと、大切《たいせつ》な人《ひと》をきちんと守《まも》る、強《つよ》くて、やさしい大人《おとな》になってくれることを心《こころ》から願《ねが》っています。

２０１１年《ねん》　春《はる》

集英社《しゅうえいしゃ》みらい文庫編集部《ぶんこへんしゅうぶ》